안쌤의 영재교육원 영재학급 관찰추천제 대비

창의적 문제해결력

과학

매스티안

구성과 특징

STEP1 문제인식

창의적 문제해결력 특강의 첫 번째 단계로, 주제에 대한 탐구로 문제를 인식하는 단계입니다.
학생들이 탐구하기에 좋은 주제, 최근 이슈가 되고 있는 주제, 발명 아이디어로 창의성을 기르는 주제 등 다양한 주제로 구성하였습니다.

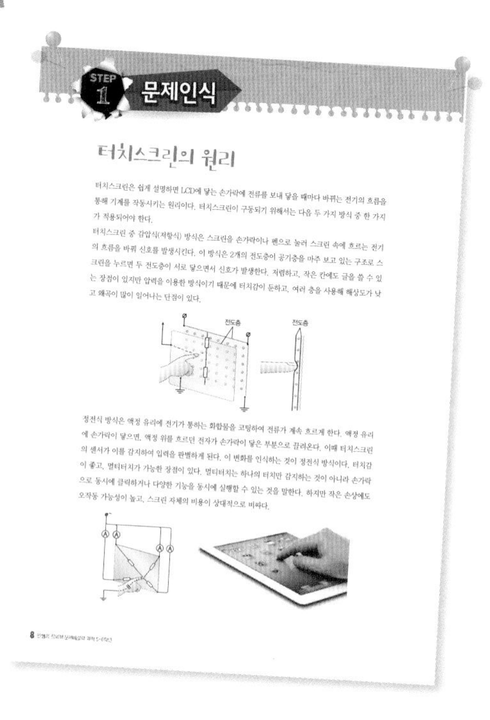
STEP 1 문제인식

터치스크린의 원리

터치스크린은 쉽게 설명하면 LCD에 닿는 손가락에 전류를 보내 닿을 때마다 바뀌는 전기의 흐름을 통해 기계를 작동시키는 원리이다. 터치스크린이 구동되기 위해서는 다음 두 가지 방식 중 한 가지가 적용되어야 한다.
터치스크린 중 감압식(저항식) 방식은 스크린을 손가락이나 펜으로 눌러 스크린 속에 흐르는 전기의 흐름을 바꿔 신호를 발생시킨다. 이 방식은 2개의 전도층이 공기층을 마주 보고 있는 구조로 스크린을 누르면 두 전도층이 서로 닿으면서 신호가 발생한다. 저렴하고, 작은 칸에도 글을 쓸 수 있는 장점이 있지만 압력을 이용한 방식이기 때문에 터치감이 둔하고, 여러 층을 사용해 해상도가 낮고 왜곡이 많이 일어나는 단점이 있다.

정전식 방식은 액정 유리에 전기가 통하는 화합물을 코팅하여 전류가 계속 흐르게 한다. 액정 유리에 손가락이 닿으면, 액정 위를 흐르던 전자가 손가락이 닿은 부분으로 끌려온다. 이때 터치스크린의 센서가 이를 감지하여 입력을 판별하게 된다. 이 변화를 인식하는 것이 정전식 방식이다. 터치감이 좋고, 멀티터치가 가능한 장점이 있다. 멀티터치는 하나의 터치만 감지하는 것이 아니라 손가락으로 동시에 클릭하거나 다양한 기능을 동시에 실행할 수 있는 것을 말한다. 하지만 작은 손상에도 오작동 가능성이 높고, 스크린 자체의 비용이 상대적으로 비싸다.

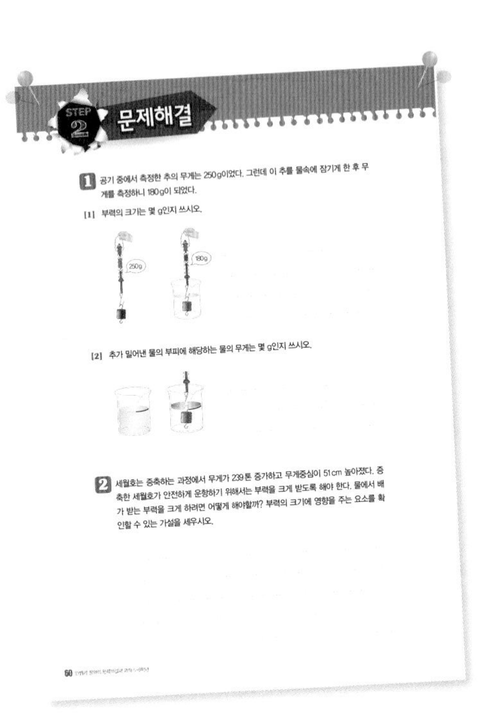
STEP 2 문제해결

1 공기 중에서 측정한 추의 무게는 250 g이었다. 그런데 이 추를 물속에 잠기게 한 후 무게를 측정하니 180 g이 되었다.

[1] 부력의 크기는 몇 g인지 쓰시오.

[2] 추가 밀어낸 물의 부피에 해당하는 물의 무게는 몇 g인지 쓰시오.

2 세월호는 증축하는 과정에서 무게가 239톤 증가하고 무게중심이 51 cm 높아졌다. 증축한 세월호가 안전하게 운항하기 위해서는 부력을 크게 받도록 해야 한다. 물에서 배가 받는 부력을 크게 하려면 어떻게 해야할까? 부력의 크기에 영향을 주는 요소를 확인할 수 있는 가설을 세우시오.

STEP2 문제해결

창의적 문제해결력 특강의 두 번째 단계로, 문제로 인식한 부분을 해결하기 위한 단계입니다.
문제해결을 위한 과학적 탐구를 하고, 문제해결을 위한 실험 가설을 세우고 탐구 계획서를 작성하도록 구성하였습니다. 탐구 수행 및 결과를 통해 창의적 문제해결력을 향상시킬 수 있습니다.

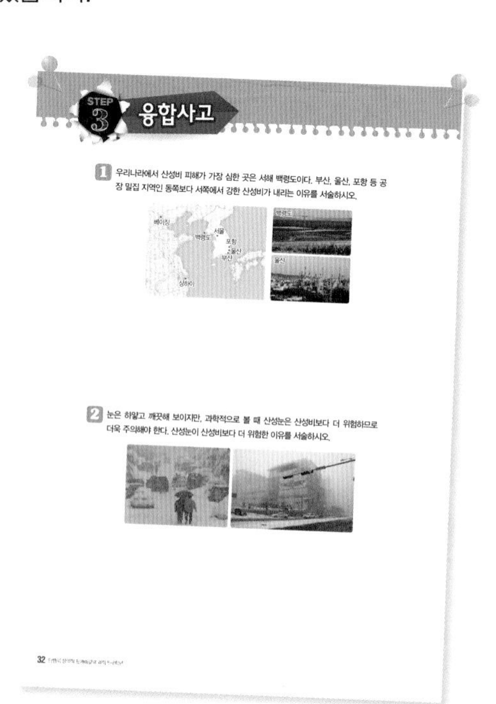
STEP 3 융합사고

1 우리나라에서 산성비 피해가 가장 심한 곳은 서해 백령도이다. 부산, 울산, 포항 등 공장 밀집 지역인 동쪽보다 서쪽에서 강한 산성비가 내리는 이유를 서술하시오.

2 눈은 하얗고 깨끗해 보이지만, 과학적으로 볼 때 산성눈은 산성비보다 더 위험하므로 더욱 주의해야 한다. 산성눈이 산성비보다 더 위험한 이유를 서술하시오.

STEP3 융합사고

창의적 문제해결력 특강의 세 번째 단계로, 문제해결을 위한 탐구 수행 후 보완할 부분을 찾는 문제, 탐구 결과를 더 향상시키는 방법을 찾는 문제, 문제해결에 활용한 과학 개념을 실생활에 적용해보거나 더 연구하고 싶은 부분을 융합적으로 사고할 수 있는 문제로 구성하였습니다.

탐구보고서

창의적 문제해결력 특강의 네 번째 단계로, 앞에서 진행된 문제인식, 문제해결, 융합사고의 내용을 탐구보고서로 작성하는 단계입니다. Step1 문제인식은 탐구 주제의 내용으로, Step2 문제해결은 탐구 문제(가설), 탐구 방법, 탐구 결과, 탐구 결론의 내용으로, Step3 융합사고는 탐구에 대한 나의 의견(고민 및 아쉬운 점, 느낀 점, 새로 알게 된 점, 더 연구하고 싶은 점)의 내용으로 작성할 수 있도록 구성하였습니다.

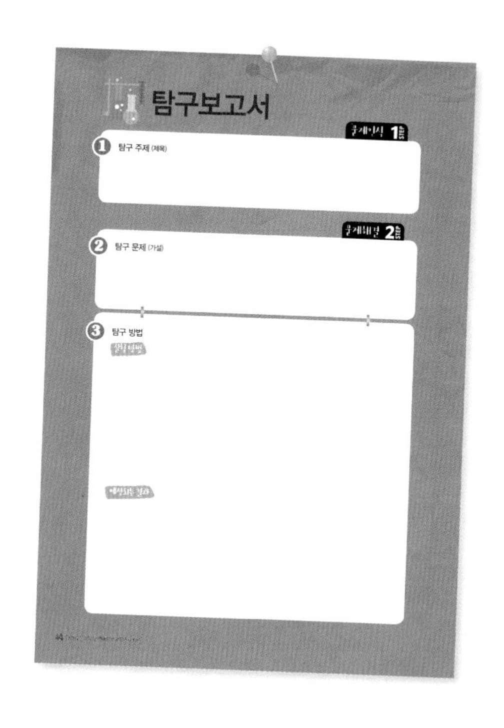

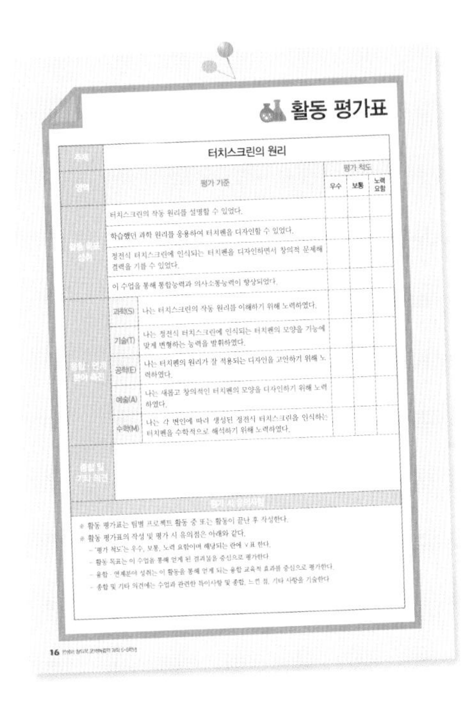
활동 평가표

주제	터치스크린의 원리			
영역	평가 기준	평가 척도: 우수	보통	노력 요함
활동 목표 성취	터치스크린의 작동 원리를 설명할 수 있었다.			
	학습했던 과학 원리를 응용하여 터치펜을 디자인할 수 있었다.			
	정전식 터치스크린에 인식되는 터치펜을 디자인하면서 창의적 문제해결력을 기를 수 있었다.			
	이 수업을 통해 통합능력과 의사소통능력이 향상되었다.			
융합·연계 분야 촉진	과학(S) 나는 터치스크린의 작동 원리를 이해하기 위해 노력하였다.			
	기술(T) 나는 정전식 터치스크린에 인식되는 터치펜의 모양을 기능에 맞게 변형하는 능력을 발휘하였다.			
	공학(E) 나는 터치펜의 원리가 잘 적용되는 디자인을 고안하기 위해 노력하였다.			
	예술(A) 나는 새롭고 창의적인 터치펜의 모양을 디자인하기 위해 노력하였다.			
	수학(M) 나는 각 변인에 따라 생성된 정전식 터치스크린을 인식하는 터치펜을 수학적으로 해석하기 위해 노력하였다.			
종합 및 기타 의견				

평가 시 유의사항
- ※ 활동 평가표는 팀별 프로젝트 활동 중 또는 활동이 끝난 후 작성한다.
- ※ 활동 평가표의 작성 및 평가 시 유의점은 아래와 같다.
  - '평가 척도'는 우수, 보통, 노력 요함이며 해당되는 란에 V표 한다.
  - 활동 목표는 이 수업을 통해 얻게 된 결과물을 중심으로 평가한다.
  - 융합·연계분야 성취는 이 활동을 통해 얻게 되는 융합 교육적 효과를 중심으로 평가한다.
  - 종합 및 기타 의견에는 수업과 관련한 특이사항 및 종합, 느낀 점, 기타 사항을 기술한다.

16

평가하기

창의적 문제해결력 특강의 다섯 번째 단계로, 탐구보고서 작성 및 발표 후 탐구 활동을 평가하는 단계입니다. 활동 목표 성취에 대한 평가, 융합–연계 분야 촉진에 대한 평가, 종합 및 기타 의견을 작성하여 스스로 창의적 문제해결력 특강을 통해 향상된 부분과 부족한 부분을 점검하도록 구성하였습니다.

부록 I 안쌤이 추천하는 초등학생 과학 대회 안내

다양한 과학 대회들이 생기고 있어서 어떤 대회를 참가해야 할지 고민하시는 분들을 위해 안쌤이 추천하는 초등학교 과학 대회를 정리했습니다. 또한 이 과학 대회들을 통해 창의적 문제해결력 특강으로 향상된 능력을 확인하고 점검할 수 있습니다. 영재산출물(창의적 산출물)로 활용할 수 있는 대회, 학생기록부에 기록 가능한 대회, 영재교육원 문제 유형과 비슷한 대회를 소개하고 기출 문제 및 출제 문제 유형을 같이 수록했습니다.

목차

5강. 속 보이는 X선

6강. 과학적 관점에서 본 세월호

7강. 중력의 소중함, 그래비티

8강. 킥에 숨어 있는 과학

융합인재교육 STEAM 이란?

· 수학, 과학, 기술, 공학 간 상호 연계성 고려, 학문 간 공통 핵심 요소 중심으로 교육
· 예술적 소양을 함양하고 타 학문에 대한 이해가 깊은 미래형 인재 양성으로 교육
[자료 출처 : 한국과학창의재단]

융합인재교육은 과학기술공학과 관련된 다양한 분야의 융합적 지식, 과정, 본성에 대한 흥미와 이해를 높여 창의적이고 종합적으로 문제를 해결할 수 있는 융합적 소양(STEAM Literacy)을 갖춘 인재를 양성하는 교육이라고 정의하고 있다. 학습자가 실제 문제 상황을 다양하게 설계하고 해결하는 과정을 통해 새로운 개념을 생성하고, 창의적으로 설계하며, 더불어 사는 인성, 즉 사회적 감성을 발달하도록 하는 것이다.
이러한 융합인재교육(STEAM)의 목적은 다음과 같이 정리할 수 있다.

- 빠르게 변화하는 사회 변화의 적응력을 높이는 것이다.
- 개인의 창의인성, 지성과 감성의 균형 있는 발달을 돕는 것이다.
- 타인을 배려하고 협력하며, 소통하는 능력을 함양하는 것이다.
- 과학 효능감과 자신감, 과학에 대한 흥미 등을 증진시킴으로써 과학 학습에 대한 동기 유발을 높이는 것이다.
- 융합적 지식 및 과정의 중요성을 인식시키는 것이다.
- 학습자 중심의 수평적 융합적 교육으로 전환하는 것이다.
- 합리적이고 다양성을 인정하는 문화 형성에 기여하는 것이다.
- 대중의 과학화를 기반으로 한 합리적인 사회를 구성하는 데 기여하는 것이다.
- 창조적 협력 인재를 양성하는 것이다.
- 수학, 과학, 기술, 공학 간 상호 연계성 고려, 학문 간 공통 핵심 요소 중심으로 교육
- 예술적 소양을 함양하고 타 학문에 대한 이해가 깊은 미래형 인재 양성으로 교육

영재교육원 대비

안쌤의 창의적 문제해결력

과학 1

터치스크린의 원리

터치스크린은 쉽게 설명하면 LCD에 닿는 손가락에 전류를 보내 닿을 때마다 바뀌는 전기의 흐름을 통해 기계를 작동시키는 원리이다. 터치스크린이 구동되기 위해서는 다음 두 가지 방식 중 한 가지가 적용되어야 한다.

터치스크린 중 감압식(저항식) 방식은 스크린을 손가락이나 펜으로 눌러 스크린 속에 흐르는 전기의 흐름을 바꿔 신호를 발생시킨다. 이 방식은 2개의 전도층이 공기층을 마주 보고 있는 구조로 스크린을 누르면 두 전도층이 서로 닿으면서 신호가 발생한다. 저렴하고, 작은 칸에도 글을 쓸 수 있는 장점이 있지만 압력을 이용한 방식이기 때문에 터치감이 둔하고, 여러 층을 사용해 해상도가 낮고 왜곡이 많이 일어나는 단점이 있다.

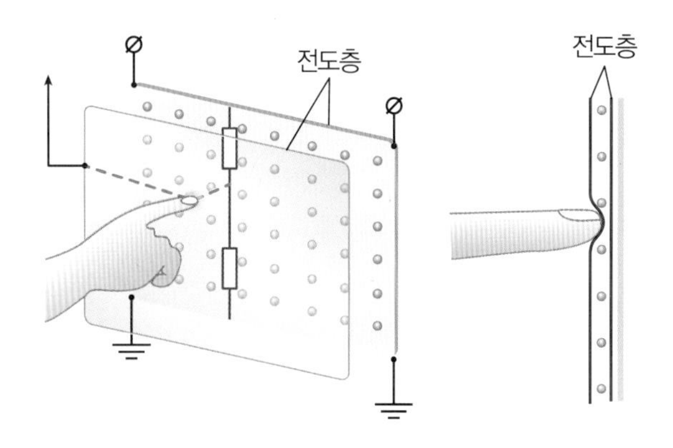

정전식 방식은 액정 유리에 전기가 통하는 화합물을 코팅하여 전류가 계속 흐르게 한다. 액정 유리에 손가락이 닿으면, 액정 위를 흐르던 전자가 손가락이 닿은 부분으로 끌려온다. 이때 터치스크린의 센서가 이를 감지하여 입력을 판별하게 된다. 이 변화를 인식하는 것이 정전식 방식이다. 터치감이 좋고, 멀티터치가 가능한 장점이 있다. 멀티터치는 하나의 터치만 감지하는 것이 아니라 손가락으로 동시에 클릭하거나 다양한 기능을 동시에 실행할 수 있는 것을 말한다. 하지만 작은 손상에도 오작동 가능성이 높고, 스크린 자체의 비용이 상대적으로 비싸다.

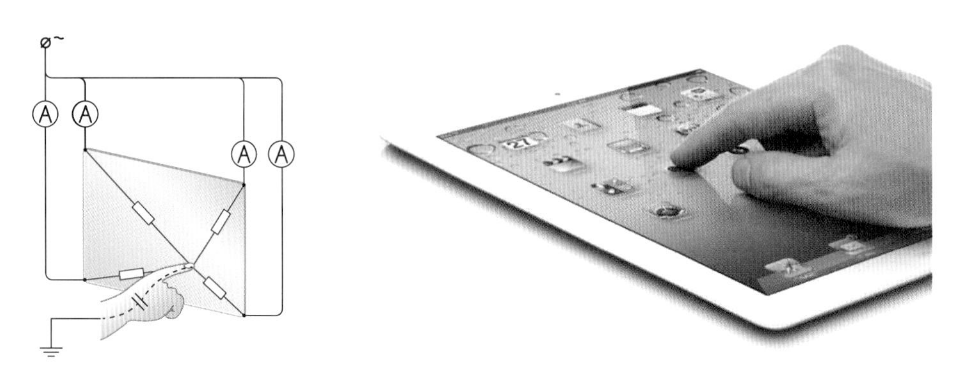

1. 우리 주변에서 가장 밀접하게 접할 수 있는 터치스크린은 스마트폰이다. 스마트폰과 같이 터치스크린을 사용하는 경우를 찾아 5가지 쓰시오.

2. 겨울에 장갑을 낀 손으로 정전식 방식의 스마트폰을 터치하면 아무 반응을 하지 않는다. 그래서 장갑을 낀 손으로 스마트폰을 작동시킬 수 있는 전용 장갑이 개발되었다. 이 장갑의 원리를 서술하시오.

STEP 2 문제해결

1 다음은 우리 주변에 있는 여러 가지 물체이다. 이 중에서 정전식 방식의 터치스크린에서 인식이 되는 물체를 모두 고르고, 터치스크린에서 인식이 되는 물체의 공통점을 서술하시오.

소시지, 연필, 종이호일, 쿠킹호일, 볼펜, 칫솔 손잡이, 면봉, 사과,
은박 과자 봉지, 플라스틱 빗, 물티슈, 물 묻힌 면봉, 지우개, 젖은 화장지,
소시지 껍질, 종이 과자 상자, 물 묻힌 면장갑

인식이 되는 물체

공통점

2 다음과 같이 정전식 터치스크린을 위한 터치펜을 만들려고 한다. 터치펜이 가져야 할 조건을 3가지 서술하시오.

3 앞의 **1**, **2** 를 참고하여 정전식 방식의 터치스크린에서 인식이 잘 되는 나만의 터치펜을 만들려고 한다. 물음에 답하시오.

[1] **1** 에서 터치스크린에 인식이 되는 물체 중 터치펜으로 사용하기 가장 적당한 물체를 고르고, 그 이유를 서술하시오.

[2] **[1]** 에서 고른 물체를 다른 물체와 결합하여 휴대가 편하고 잘 인식되는 터치펜을 설계하시오.

STEP 3 융합사고

1 플렉서블 디스플레이(flexible display)는 휘어질 수 있는 디스플레이 장치이다. 이 플렉서블 디스플레이는 유리 판 대신 플라스틱 판을 사용한다. 기존의 디스플레이 장치를 플렉서블 디스플레이로 대체했을 때의 장점을 서술하시오.

2 터치스크린은 표면이 매끄럽기 때문에 시각 장애인이 누르고 싶은 번호를 손의 감촉으로 찾을 수 없다. 시각 장애인과 터치스크린을 같이 사용하기 위한 방법을 생각하여 서술하시오.

3 다음은 곧 다가올 미래의 디스플레이에 관한 내용이다.

미래의 디스플레이는 생활을 편리하게 만들어 줄 것이다. 욕실이나 부엌, 거실 등에 설치되어 있는 거울이나 유리가 곧 디스플레이가 될 것이다. 여기에는 날씨와 정보, 운동량 등 다양한 실생활 정보가 표시될 것이다. 출근 준비를 하거나 요리를 하는 동안 스마트폰이나 태블릿 PC를 켜지 않고도 실생활 정보를 확인할 수 있을 것이다.
특히 모든 가전제품들이 하나로 연결되는 시스템이 갖추어져 집안의 각종 제품의 상태를 실시간으로 모니터링할 수 있을 것이다. 또 욕실에 설치된 거울 디스플레이를 통해 샤워하는 동안 실시간으로 TV를 시청하는 것도 가능해질 것이다.
부엌에 설치된 거울 디스플레이를 통해서는 각종 요리법을 띄워 놓고 내용을 확인하며 요리를 할 수 있을 것이다.

미래의 디스플레이

미래에 나올 기술을 예상하거나 주변의 디스플레이 장치에서 더 추가되었으면 하는 기술을 2가지 고안하여 서술하시오.

탐구보고서

문제인식 1 STEP

① 탐구 주제 (제목)

문제해결 2 STEP

② 탐구 문제 (가설)

③ 탐구 방법

4 탐구 결과 (표 또는 그래프로 작성)

5 탐구 결론

융합사고 3 STEP

6 탐구에 대한 나의 의견 (고민, 아쉬운 점, 느낀점, 새로 알게 된 점, 더 알고 싶은 점)

활동 평가표

<table>
<tr><td>주제</td><td colspan="5">터치스크린의 원리</td></tr>
<tr><td rowspan="2">영역</td><td colspan="2" rowspan="2">평가 기준</td><td colspan="3">평가 척도</td></tr>
<tr><td>우수</td><td>보통</td><td>노력 요함</td></tr>
<tr><td rowspan="4">활동 목표 성취</td><td colspan="2">터치스크린의 작동 원리를 설명할 수 있었다.</td><td></td><td></td><td></td></tr>
<tr><td colspan="2">학습했던 과학 원리를 응용하여 터치펜을 디자인할 수 있었다.</td><td></td><td></td><td></td></tr>
<tr><td colspan="2">정전식 터치스크린에 인식되는 터치펜을 디자인하면서 창의적 문제해결력을 기를 수 있었다.</td><td></td><td></td><td></td></tr>
<tr><td colspan="2">이 수업을 통해 통합능력과 의사소통능력이 향상되었다.</td><td></td><td></td><td></td></tr>
<tr><td rowspan="5">융합 · 연계 분야 촉진</td><td>과학(S)</td><td>나는 터치스크린의 작동 원리를 이해하기 위해 노력하였다.</td><td></td><td></td><td></td></tr>
<tr><td>기술(T)</td><td>나는 정전식 터치스크린에 인식되는 터치펜의 모양을 기능에 맞게 변형하는 능력을 발휘하였다.</td><td></td><td></td><td></td></tr>
<tr><td>공학(E)</td><td>나는 터치펜의 원리가 잘 적용되는 디자인을 고안하기 위해 노력하였다.</td><td></td><td></td><td></td></tr>
<tr><td>예술(A)</td><td>나는 새롭고 창의적인 터치펜의 모양을 디자인하기 위해 노력하였다.</td><td></td><td></td><td></td></tr>
<tr><td>수학(M)</td><td>나는 각 변인에 따라 생성된 정전식 터치스크린을 인식하는 터치펜을 수학적으로 해석하기 위해 노력하였다.</td><td></td><td></td><td></td></tr>
<tr><td>종합 및 기타 의견</td><td colspan="5"></td></tr>
</table>

평가 시 유의사항

※ 활동 평가표는 팀별 프로젝트 활동 중 또는 활동이 끝난 후 작성한다.

※ 활동 평가표의 작성 및 평가 시 유의점은 아래와 같다.

- '평가 척도'는 우수, 보통, 노력 요함이며 해당되는 란에 ∨표 한다.
- 활동 목표는 이 수업을 통해 얻게 된 결과물을 중심으로 평가한다.
- 융합 · 연계분야 성취는 이 활동을 통해 얻게 되는 융합 교육적 효과를 중심으로 평가한다.
- 종합 및 기타 의견에는 수업과 관련한 특이사항 및 종합, 느낀 점, 기타 사항을 기술한다

영재교육원 대비

안쌤의 창의적 문제해결력

과학 2

미세먼지의 습격

예전같았으면 따뜻한 봄기운을 누려야 할 3월이지만 요새는 황사와 더불어 새로운 불청객이 생겼다. 바로 '미세먼지'

황사와 미세먼지는 엄밀히 말해서 같은 것이 아니다. 황사는 중국과 몽골이 위치한 사막지대의 모래나 먼지가 바람을 타고 우리나라로 날아와 가라앉는 현상으로 자연적인 현상이다. 반면 미세먼지는 자동차, 공장 등에서 사용하는 화석연료에서 나오는 작은 입자의 먼지이다.

우리는 황사와 미세먼지의 원인으로 중국을 지적한다. 중국은 화석 연료인 석탄의 의존도가 70% 정도로 높아서 오염물질을 많이 발생시키기 때문이다. 하지만 모든 원인을 중국의 문제로 돌리는 것은 무리이다. 우리나라 자체적으로 배출하는 오염물질도 무시할 수 없기 때문이다.

황사와 미세먼지를 피할 수 없다면, 위험성을 줄이려는 노력을 스스로 해야 한다. 일반적으로 황사와 미세먼지 예방을 위해서 미세먼지 마스크를 착용한다. 그러나 미세먼지 예방을 위한 마스크 착용이 호흡기 · 심장 질환자, 임산부에게는 오히려 건강에 악영향을 줄 수 있다는 주장이 제기됐다. 질병관리본부에서 열린 '미세먼지로 인한 건강피해 예방 · 정책마련 토론회'에서 "아무런 기준과 주의점도 없이 무조건 마스크를 권고하는 것은 오히려 건강취약계층의 건강에 해가 될 수 있다"며 "미세먼지 생활수칙 전반에 대해서 과학적이고 의학적인 재검토가 필요하다"고 제언했다.

1 미세먼지란 대기 중 고체 상태 입자와 액체 상태 입자의 혼합물로 지름 10㎛(마이크로미터, 1㎛ = 백만분의 1m) 이하의 가늘고 긴 먼지 입자를 의미하며, 미세먼지(PM10)중 입자의 크기가 더 작은 미세먼지를 초미세먼지(PM2.5)라 한다. 우리 눈에 보이지 않는 미세먼지가 발생되는 원인을 2가지 서술하시오.

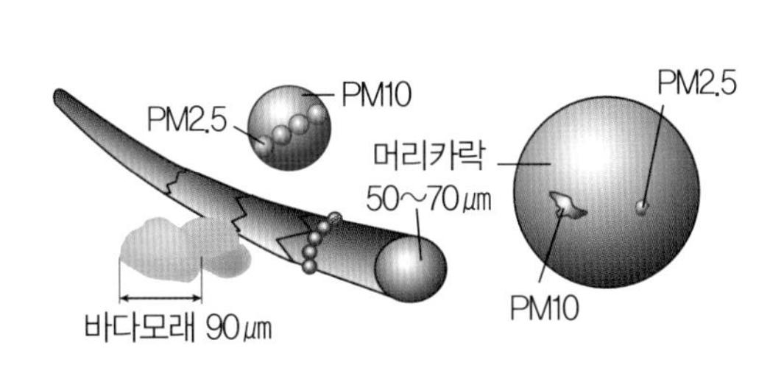

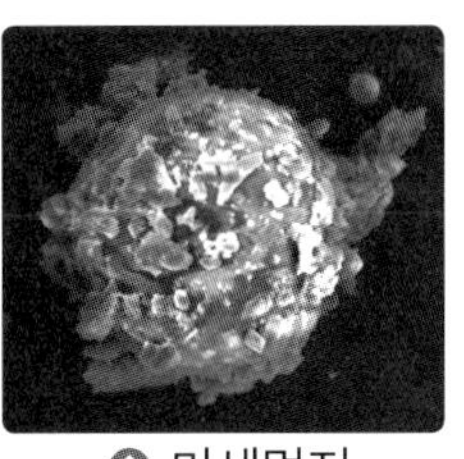
미세먼지

미세먼지 원인

2 서울의 월별 미세먼지의 농도를 비교하면 계절에 따라 오염 농도가 다르다는 것을 알 수 있다. 미세먼지의 농도가 높은 계절을 찾고, 그 이유를 추리하여 서술하시오.

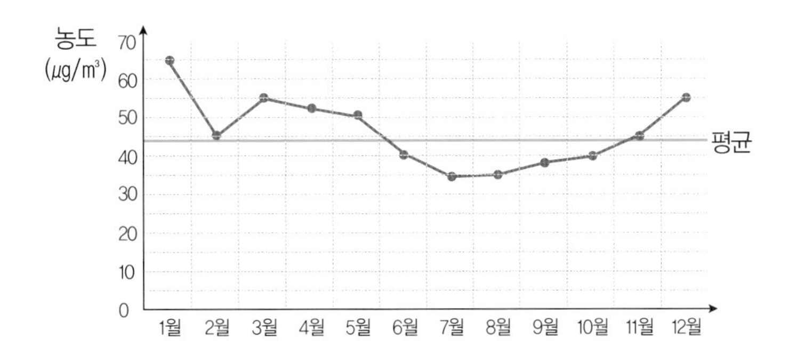

계절별 미세먼지 농도

STEP 2 문제해결

1 황사가 발생하거나 미세먼지 농도가 짙어지면 창문을 닫아 두고 가급적 외출을 삼가는 것이 좋다. 하지만 불가피할 경우에는 황사 마스크(미세먼지 마스크)를 착용하는 등 황사와의 접촉을 피하기 위한 몇 가지 안전장치가 필요하다. 황사마스크는 일반마스크와 달리 미세먼지를 80% 이상을 차단할 수 있다. 황사 마스크가 일반 마스크와 어떤 점이 다른지 비교하여 서술하시오.

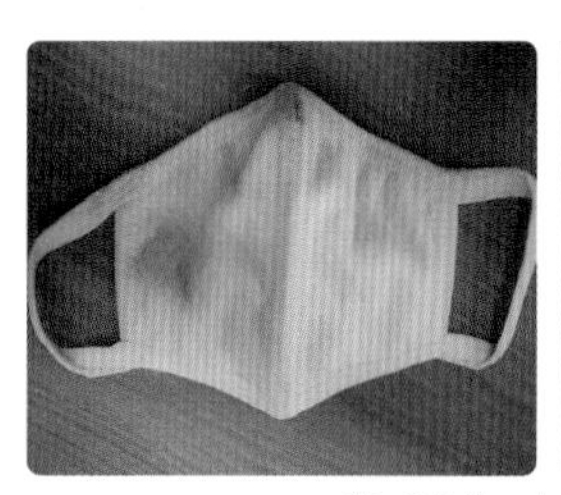

일반 마스크

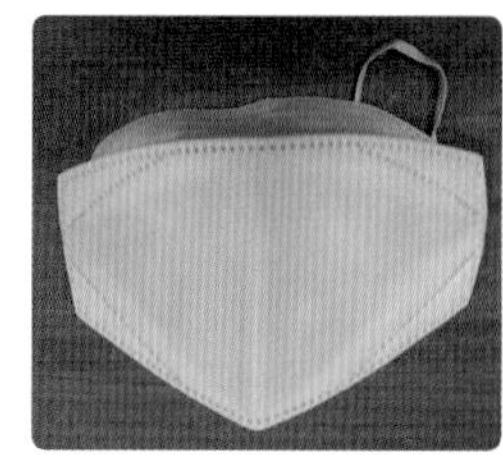
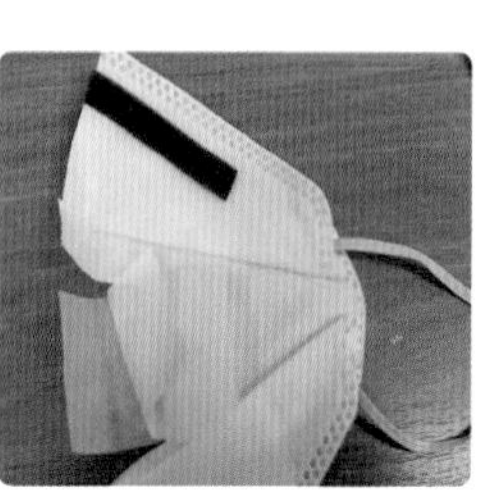

황사 마스크

황사마스크

2 황사 마스크 착용이 호흡기•심장 질환자와 임산부에게는 오히려 마스크 내 이산화 탄소 농도가 증가하여 건강에 악영향을 줄 수 있다는 주장이 있다. 이 주장의 근거를 추리하여 서술하시오.

3 황사와 미세먼지 예방을 위한 마스크 착용이 호흡기•심장 질환자, 임산부에게는 오히려 마스크 내 이산화 탄소 농도가 증가하여 건강에 악영향을 줄 수 있다는 주장을 확인할 수 있는 실험을 설계하시오.

실험 방법

⬆ 이산화 탄소 센서
대기 중이나 밀폐된 공간의 이산화 탄소 농도를 측정할 수 있다.

예상되는 결과

STEP 3 융합사고

1 실험 결과를 바탕으로 호흡에 방해를 받지 않으면서도 효과적으로 황사와 미세먼지를 거를 수 있는 마스크를 고안하시오.

2 황사 마스크의 황사와 미세먼지를 차단률을 증가시키기 위해 마스크에 어떤 기능을 추가하면 좋을지 고안하시오.

3 다음은 경제 성장과 환경 보존에 대한 글이다.

> 오래전부터 한반도에 살던 우리 조상들은 중국에서 날아오는 모래 바람인 황사를 겪었다. 물론 그 때도 황사는 지금처럼 사람들이 생활하는 데 다소 지장을 주긴 했지만, 토양을 비옥하게 만드는 좋은 기능도 있었다. 그러나 요즘 중국발 황사는 더 이상 좋은 기능을 하지 못한다. 환경을 고려치 않은 중국의 무작위 개발로 인해 오염물질이 대량 발생하여 황사 속의 중금속, 미세먼지의 농도가 높아지고 있기 때문이다.
> 중국은 현재 선진국이 20~30년 전에 겪었던 단계를 밟고 있다. 심한 스모그 현상은 10~20년 동안 이어질 것이라고 예측된다.
> 산업혁명 이후 지구촌은 산업화와 도시화가 점진적으로 진행됨에 따라 과도한 자원 및 에너지 사용이 진행되었고 그로 인해 대기오염, 수질오염, 토양오염 등 환경오염 문제가 발생하게 되었다. 환경오염의 심각성을 깨닫고 이를 줄이기 위해 대체자원을 개발하고 에너지 사용을 줄이기 위해 노력을 하고 있다. 그러나 뒤늦게 공업화가 진행되는 인도, 중국, 브라질 등 개발도상국에서는 환경 보존보다는 경제 성장과 개발을 더 중요시하고 있다. 오랜 시간 동안 선진국에 의해 이미 환경 오염이 발생한 상황에서, 뒤늦게 산업화를 이루어 가고 있는 개발도상국은 개발에 많은 제약을 받고 있다.

선진국들은 자연을 보호한다는 명목하에 여러 가지 정책을 실시하고 있으며 이러한 정책을 개발도상국에게 요구하기도 한다. 개발도상국들은 환경에 대한 정책이 정해지지도 지켜지지도 않으며, 발전을 위해 환경오염을 등한시 여긴다. 하지만 선진국도 과거에는 지금의 개발도상국과 같았다. 선진국이 개발도상국에게 환경보존를 요구하는 것은 옳은 것인가? 개발도상국은 경제성장과 환경보존 중 무엇을 더 중요시 해야 하는 것인지 자신의 생각을 서술하시오

탐구보고서

문제인식 1 STEP

① 탐구 주제 (제목)

문제해결 2 STEP

② 탐구 문제 (가설)

③ 탐구 방법

4 탐구 결과 (표 또는 그래프로 작성)

5 탐구 결론

융합사고 3 STEP

6 탐구에 대한 나의 의견 (고민, 아쉬운 점, 느낀점, 새로 알게 된 점, 더 알고 싶은 점)

활동 평가표

<table>
<tr><td>주제</td><td colspan="5">미세먼지의 습격</td></tr>
<tr><td rowspan="2">영역</td><td colspan="2" rowspan="2">평가 기준</td><td colspan="3">평가 척도</td></tr>
<tr><td>우수</td><td>보통</td><td>노력 요함</td></tr>
<tr><td rowspan="4">활동 목표 성취</td><td colspan="2">미세먼지의 발생 원인을 설명할 수 있었다.</td><td></td><td></td><td></td></tr>
<tr><td colspan="2">학습했던 과학 원리를 응용하여 황사 마스크가 호흡기•심장 질환자, 임산부에게 악영향을 주는 원인을 알아보는 실험을 설계할 수 있었다.</td><td></td><td></td><td></td></tr>
<tr><td colspan="2">황사 마스크가 호흡기•심장 질환자, 임산부에게 악영향을 주는 원인을 알아보는 실험을 설계하면서 창의적 문제해결력을 기를 수 있었다.</td><td></td><td></td><td></td></tr>
<tr><td colspan="2">이 수업을 통해 통합능력과 의사소통능력이 향상되었다.</td><td></td><td></td><td></td></tr>
<tr><td rowspan="5">융합 · 연계 분야 촉진</td><td>과학(S)</td><td>나는 이산화 탄소의 농도와 호흡의 관계를 이해하기 위해 노력하였다.</td><td></td><td></td><td></td></tr>
<tr><td>기술(T)</td><td>나는 주위에서 구할 수 있는 실험 도구들을 기능에 맞게 적절히 변형하는 능력을 발휘하였다.</td><td></td><td></td><td></td></tr>
<tr><td>공학(E)</td><td>나는 마스크 내 이산화 탄소의 농도를 측정할 수 있는 장치를 고안하기 위해 노력하였다.</td><td></td><td></td><td></td></tr>
<tr><td>예술(A)</td><td>나는 새롭고 창의적인 방법으로 실험을 계획하고 진행하기 위해 노력하였다.</td><td></td><td></td><td></td></tr>
<tr><td>수학(M)</td><td>나는 각 변인에 따라 측정된 이산화 탄소 농도를 수학적으로 해석하고 이산화 탄소의 농도 변화가 인체에 미치는 영향을 해석하였다.</td><td></td><td></td><td></td></tr>
<tr><td>종합 및 기타 의견</td><td colspan="5"></td></tr>
</table>

평가 시 유의사항

※ 활동 평가표는 팀별 프로젝트 활동 중 또는 활동이 끝난 후 작성한다.

※ 활동 평가표의 작성 및 평가 시 유의점은 아래와 같다.

- '평가 척도'는 우수, 보통, 노력 요함이며 해당되는 란에 V표 한다.
- 활동 목표는 이 수업을 통해 얻게 된 결과물을 중심으로 평가한다.
- 융합 · 연계분야 성취는 이 활동을 통해 얻게 되는 융합 교육적 효과를 중심으로 평가한다.
- 종합 및 기타 의견에는 수업과 관련한 특이사항 및 종합, 느낀 점, 기타 사항을 기술한다

영재교육원 대비

안쌤의 창의적 문제해결력

과학 3

오염된 비, 산성비

종로 탑골공원에 가면 유리 보호각에 들어 있는 원각사지 10층석탑을 볼 수 있다. 원각사지 10층석탑은 조선 초기의 대리석 석탑으로, 국보 제2호이다. 탑신부(탑의 몸체)에는 나무로 지은 목조 기와집을 모방하여, 각 층마다 난간, 둥근 기둥, 공포, 8작지붕의 기와골까지 섬세하게 표현되어 있다. 옥신(석탑의 지붕들과 탑신을 연결하는 굄돌)에는 수많은 부처, 보살상, 천인(天人) 등과 구름, 용, 사자, 모란, 연꽃, 인물, 새, 선인(仙人) 등이 새겨져 있다. 이 탑은 조선 석탑으로는 유례를 찾아볼 수 없는 우수한 조각 솜씨를 보여주는 세련된 석탑이다.

우리나라 석탑의 일반적 재료가 화강암인데 비해 이 석탑은 대리석으로 만들어졌고, 전체적인 형태나 세부 구조 등이 고려시대의 경천사지 10층석탑과 매우 비슷하여 더욱 주의를 끌고 있다. 탑의 윗부분에 남아있는 기록으로 세조 13년(1467)에 만들어졌음을 알 수 있으며, 형태가 특이하고 표현장식이 풍부하여 훌륭한 걸작품으로 손꼽히고 있다.

지금 이 석탑은 유리 보호각 안에 들어 있다. 이렇게 섬세하고 아름다운 석탑을 답답한 유리 보호각 안에 넣어 놓은 이유는 무엇일까?

1 산성비와 관련된 뉴스를 시청하고, 물음에 답하시오

산성비

[1] 산성비는 무엇인가? 산성비의 기준을 서술하시오.

[2] 산성비가 만들어지는 과정을 서술하시오.

STEP 2 문제해결

1 산성 물질이 가지는 특징을 3가지 서술하시오.

2 산성비로 인한 피해를 서술하시오.

[1] 인간에게 미치는 영향

[2] 육상생태계에 미치는 영향

[3] 수중생태계에 미치는 영향

[4] 토양에 미치는 영향

3 산성비의 피해를 확인할 수 있는 실험을 설계하시오.

실험 방법

예상되는 결과

STEP 3 융합사고

1 우리나라에서 산성비 피해가 가장 심한 곳은 서해 백령도이다. 부산, 울산, 포항 등 공장 밀집 지역인 동쪽보다 서쪽에서 강한 산성비가 내리는 이유를 서술하시오.

2 눈은 하얗고 깨끗해 보이지만, 과학적으로 볼 때 산성눈은 산성비보다 더 위험하므로 더욱 주의해야 한다. 산성눈이 산성비보다 더 위험한 이유를 서술하시오.

3 다음은 원각사지 10층석탑에 관한 내용이다.

서울 종로에 있는 원각사지 10층석탑은 조선 세조 13년(1467년)에 건립되었으며, 국보 2호이다. 원각사는 원래 지금의 탑골공원 자리에 있었던 절로 조선 세조 11년(1465년)에 세웠었고, 조선시대의 숭유억불정책에서도 중요한 사찰로 보호 감찰되어 오다가, 1504년 연산군이 연방원이라는 이름으로 기생집을 만들면서 승려들을 떠나보내고 절이 없어지게 되었다고 한다. 원각사지 10층석탑은 조선시대의 석탑으로는 유일한 형태로 높이가 12 m이고 화강암이 아닌 대리석으로 만들어졌으며, 탑 구석구석에 표현된 화려한 조각이 대리석의 회백색과 잘 어울려 굉장히 아름다운 자태를 뽐내는 석탑이다.

그러나 최근 석탑 훼손이 심각한 상태이다. 1947년에 오랫동안 무너져 내려져 있던 맨 위 3층을 원상태로 복구하였고, 2000년에는 산성비, 산성눈, 바람, 비둘기 배설물(산성) 등으로 인한 피해를 막기 위해 유리 보호각을 씌워 놓았다. 그러나 유리 보호각 때문에 석탑은 주변환경과 어울리지 못해 격리되어 보이고, 유리의 반사가 심해 정교한 조각을 제대로 감상할 수가 없게 되었다. 일부 학자들은 탑의 숨통을 막고 있는 유리 보호각을 철거해야 한다고 주장하기도 한다.

석조문화재를 산성비로부터 보호할 수 있는 아이디어를 고안하시오.

탐구보고서

문제인식 1 STEP

① 탐구 주제 (제목)

문제해결 2 STEP

② 탐구 문제 (가설)

③ 탐구 방법

④ 탐구 결과 (표 또는 그래프로 작성)

⑤ 탐구 결론

유합사고 3 STEP

⑥ 탐구에 대한 나의 의견 (고민, 아쉬운 점, 느낀점, 새로 알게 된 점, 더 알고 싶은 점)

활동 평가표

<table>
<tr><td>주제</td><td colspan="5">오염된 비, 산성비</td></tr>
<tr><td rowspan="2">영역</td><td colspan="2" rowspan="2">평가 기준</td><td colspan="3">평가 척도</td></tr>
<tr><td>우수</td><td>보통</td><td>노력 요함</td></tr>
<tr><td rowspan="4">활동 목표 성취</td><td colspan="2">산성비가 내리는 이유를 말할 수 있었다.</td><td></td><td></td><td></td></tr>
<tr><td colspan="2">학습했던 과학 원리를 응용하여 실험을 설계할 수 있었다.</td><td></td><td></td><td></td></tr>
<tr><td colspan="2">산성비의 피해를 알아보는 실험을 통해 창의적 문제해결력을 기를 수 있었다.</td><td></td><td></td><td></td></tr>
<tr><td colspan="2">이 수업을 통해 통합능력과 의사소통능력이 향상되었다.</td><td></td><td></td><td></td></tr>
<tr><td rowspan="5">융합 · 연계 분야 촉진</td><td>과학(S)</td><td>나는 산성비의 생성 과정을 이해하기 위해 노력하였다.</td><td></td><td></td><td></td></tr>
<tr><td>기술(T)</td><td>나는 실험 재료를 적절하게 활용하고 필요에 맞게 변형하는 능력을 발휘하였다.</td><td></td><td></td><td></td></tr>
<tr><td>공학(E)</td><td>나는 산성비에 의한 피해 정도를 비교할 수 있는 방법을 고안하기 위해 노력하였다.</td><td></td><td></td><td></td></tr>
<tr><td>예술(A)</td><td>나는 산성비의 피해 정도를 보다 자세하게 알기 위해 금속과 분필에 정교한 무늬를 나타내기 위해 노력하였다.</td><td></td><td></td><td></td></tr>
<tr><td>수학(M)</td><td>나는 산성비의 농도에 따른 피해 정도를 수학적으로 해석하려고 노력하였다.</td><td></td><td></td><td></td></tr>
<tr><td>종합 및 기타 의견</td><td colspan="5"></td></tr>
<tr><td colspan="6">평가 시 유의사항</td></tr>
<tr><td colspan="6">※ 활동 평가표는 팀별 프로젝트 활동 중 또는 활동이 끝난 후 작성한다.
※ 활동 평가표의 작성 및 평가 시 유의점은 아래와 같다.
– '평가 척도'는 우수, 보통, 노력 요함이며 해당되는 란에 ∨표 한다.
– 활동 목표는 이 수업을 통해 얻게 된 결과물을 중심으로 평가한다.
– 융합 · 연계분야 성취는 이 활동을 통해 얻게 되는 융합 교육적 효과를 중심으로 평가한다.
– 종합 및 기타 의견에는 수업과 관련한 특이사항 및 종합, 느낀 점, 기타 사항을 기술한다.</td></tr>
</table>

안쌤의 창의적 문제해결력

과학
4

촛불집회 속 종이컵의 역할

촛불집회는 2008년 5월 2일 10대 여학생들이 미국산 쇠고기 수입을 반대하는 촛불문화제를 처음 연 뒤로, 많은 시민들이 수입조건 재협상을 외치며 자발적으로 동참하여 전국으로 확산되었다.

2008년의 촛불집회는 이전과는 달리 이른바 주도세력이 없는 자발적인 개인들의 모임이라는 점이 가장 큰 특징이다. 중고생들로부터 시작되어 대학생, 일반 회사원, 유모차를 끄는 젊은 주부들까지 다양한 개인들이 자발적으로 동참하여 비폭력적으로 자신들의 주장을 폈다는 점에서 새로운 실험으로 평가받기도 한다.

촛불집회에서 촛불은 자신의 몸을 불살라 주위를 밝게 비춘다는 점에서 희생을, 약한 바람에 꺼지면서도 여럿이 모이면 온 세상을 채운다는 점에서 결집을, 어둠 속에서도 빛을 잃지 않고 새벽을 기다리는 불꽃이라는 점에서 꿈과 기원을 의미한다.

촛불집회에서 초를 감싸고 있는 종이컵의 역할은 무엇일까?

1 다음 사진과 같이 촛불집회에서는 불을 붙인 초를 종이컵 안에 넣어서 사용한다. 그 이유를 2가지 서술하시오.

2 촛불 위에 종이를 가져다 대면 종이가 타지만, 촛불 옆에 있는 종이컵은 타지 않는다. 그 이유를 서술하시오.

1 촛불집회나 촛불행사에서 종이컵을 초에 끼울 때 종이컵을 어느 위치까지 끼우는 것이 좋을까? 다음 그림에 초와 촛불의 위치를 나타내고, 그렇게 생각한 이유를 서술하시오.

2 촛불을 '후~' 불어 끄고 나서 생기는 흰 연기에 불을 가까이 했더니 불이 심지에 닿지도 않았는데 초에 불이 붙었다. 이를 통해 알 수 있는 사실을 서술하시오.

흰 연기에 불 붙이기

3 **2** 에서 알게된 사실을 확인할 수 있는 실험을 설계하고 예상되는 결과를 서술하시오.

실험 방법

예상되는 결과

양초 실험

STEP 3 융합사고

1 촛불집회에서 촛불을 잘못 사용하면 위험할 수 있다. 촛불을 안전하게 사용할 수 있는 방법, 촛불이 잘 꺼지지 않거나, 촛불을 더 환하게 할 수 있는 방법 중 한 가지를 골라 고안하시오.

2 전자저울 위에 초를 올려놓고 가열하면 무게가 점점 줄어든다. 그 이유를 서술하시오.

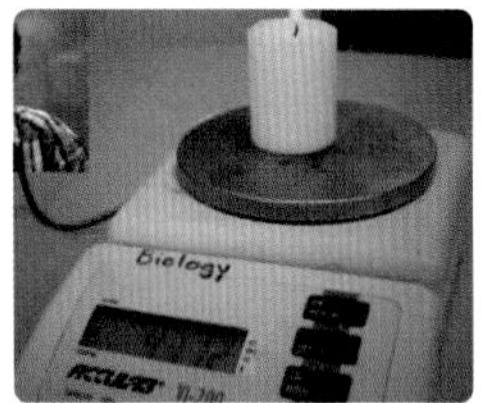

▲ 41.12 g

▲ 41.08 g

▲ 41.04 g

▲ 40.99 g

양초 연소 무게 변화

3 동영상 '종이컵 이제는 유죄다'를 보고 물음에 답하시오.

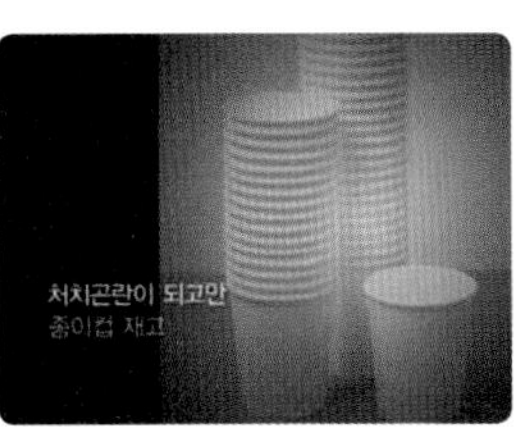

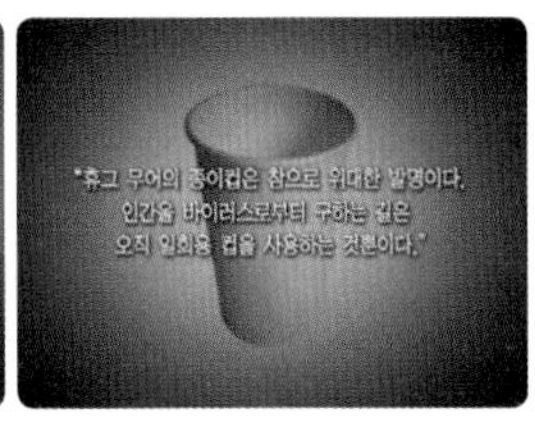

종이컵 유죄

[1] 종이컵의 장점과 단점을 각각 3가지씩 서술하시오.

장점 :

단점 :

[2] 종이컵의 단점을 보완할 수 있는 아이디어를 찾아 2가지 서술하시오.

탐구보고서

문제인식 1 STEP

① 탐구 주제 (제목)

문제해결 2 STEP

② 탐구 문제 (가설)

③ 탐구 방법

4 탐구 결과 (표 또는 그래프로 작성)

5 탐구 결론

융합사고 3 STEP

6 탐구에 대한 나의 의견 (고민, 아쉬운 점, 느낀점, 새로 알게 된 점, 더 알고 싶은 점)

활동 평가표

<table>
<tr><td>주제</td><td colspan="5">촛불집회 속 종이컵의 역할</td></tr>
<tr><td rowspan="2">영역</td><td colspan="2" rowspan="2">평가 기준</td><td colspan="3">평가 척도</td></tr>
<tr><td>우수</td><td>보통</td><td>노력 요함</td></tr>
<tr><td rowspan="4">활동 목표 성취</td><td colspan="2">초에서 연소되는 물질과 연소되는 과정을 말할 수 있었다.</td><td></td><td></td><td></td></tr>
<tr><td colspan="2">초에서 연소되는 물질과 연소되는 과정을 확인할 수 있는 실험을 설계할 수 있었다.</td><td></td><td></td><td></td></tr>
<tr><td colspan="2">초의 연소에 관한 실험을 설계하면서 창의적 문제해결력을 기를 수 있었다.</td><td></td><td></td><td></td></tr>
<tr><td colspan="2">이 수업을 통해 통합능력과 의사소통능력이 향상되었다.</td><td></td><td></td><td></td></tr>
<tr><td rowspan="5">융합 · 연계 분야 촉진</td><td>과학(S)</td><td>나는 초의 연소 과정을 이해하기 위해 노력하였다.</td><td></td><td></td><td></td></tr>
<tr><td>기술(T)</td><td>나는 실험 재료를 적절하게 활용하고 필요에 맞게 변형하는 능력을 발휘하였다.</td><td></td><td></td><td></td></tr>
<tr><td>공학(E)</td><td>나는 초가 더 환하고 꺼지지 않고 오랫동안 타게 할 수 있는 방법을 찾기 위해 노력하였다.</td><td></td><td></td><td></td></tr>
<tr><td>예술(A)</td><td>나는 독창적이고 창의적인 실험을 설계하기 위해 노력하였다.</td><td></td><td></td><td></td></tr>
<tr><td>수학(M)</td><td>나는 초가 연소되면서 무게가 감소하는 것을 수학적으로 해석하려고 노력하였다.</td><td></td><td></td><td></td></tr>
<tr><td>종합 및 기타 의견</td><td colspan="5"></td></tr>
</table>

평가 시 유의사항

※ 활동 평가표는 팀별 프로젝트 활동 중 또는 활동이 끝난 후 작성한다.

※ 활동 평가표의 작성 및 평가 시 유의점은 아래와 같다.

- '평가 척도'는 우수, 보통, 노력 요함이며 해당되는 란에 ∨표 한다.
- 활동 목표는 이 수업을 통해 얻게 된 결과물을 중심으로 평가한다.
- 융합 · 연계분야 성취는 이 활동을 통해 얻게 되는 융합 교육적 효과를 중심으로 평가한다.
- 종합 및 기타 의견에는 수업과 관련한 특이사항 및 종합, 느낀 점, 기타 사항을 기술한다.

영재교육원 대비

안쌤의 창의적 문제해결력

과학 5

속 보이는 X선

X선이 처음 발견됐을 때 해부하지 않고도 사람의 뼈를 볼 수 있다는 사실에 시민들은 경악했다. 신문 매체들은 연일 X선의 발견으로 다가올 어두운 미래를 보도하며 많은 오해를 불러 일으켰다. X선이 개인의 사생활을 침해할지도 모른다는 우려 때문이었다. 영국의 어느 란제리 제조업체는 "이 속옷이 X선을 통과시키지 않음을 보증합니다"라고 광고할 정도였다.

X선은 독일의 물리학자 빌헬름 뢴트겐(1845~1923)에 의해 우연히 발견됐다. 12월 28일 뢴트겐은 '새로운 종류의 광선에 대하여'라는 제목으로 뷔르츠부르크 물리학·의학협회에 논문을 제출했다. 50세가 넘은 1895년 초까지 크게 주목받지 못한 뢴트겐이 일약 세계적으로 유명한 과학자가 되는 순간이었다. 논문 발표 1년 만에 X선에 관한 논문이 1000편, 단행본이 50권 가량 출판됐다. 1897년에는 뢴트겐협회가 결성됐고, 뢴트겐은 1901년에 제1회 노벨 물리학상까지 수상했다.

X선이 알려지자 외과 의사들이 많은 관심을 보였다. 뢴트겐 아내의 손가락 뼈 사진 덕분에 X선을 이용하면 사람의 몸 안을 들여다 볼 수 있을 것이라고 생각했다. 1899년 1월 20일 베를린의 한 의사가 손가락에 꽂힌 유리 파편을 X선으로 찾아냈고, 2월 7일에는 다른 의사가 X선으로 환자의 머리에 박힌 탄환을 확인했다. X선은 진료 이외에도 용접 부위의 균열이나 흠집 여부를 검사하고, 공항에서 짐을 검색하는 데도 유용하게 쓰인다.

X선은 뢴트겐이 살던 당시에도 그 기술의 응용 가능성이 매우 높았다. 그래서 독일의 한 재벌가가 그를 찾아와 X선의 특허를 자신에게 양도해 달라고 말했으나, 뢴트겐은 "X선은 자신이 발명한 것이 아니라 원래 있던 것을 발견한 것에 지나지 않으므로 온 인류가 공유해야 한다"며 특허 신청을 끝내 거절했다.

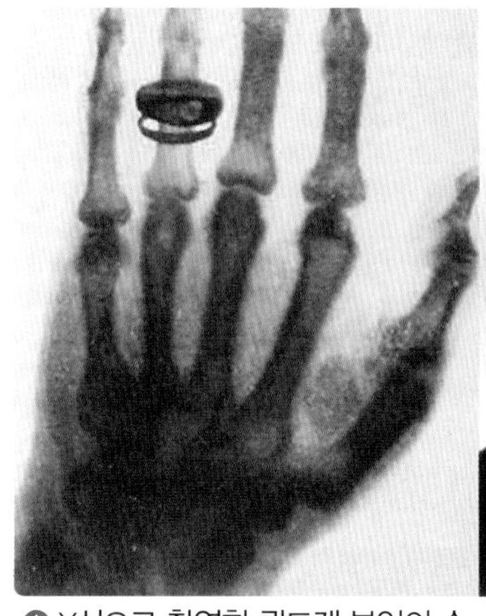
X선으로 촬영한 뢴트겐 부인의 손

뢴트겐

1 몸이 아파서 병원에 가면 X선 촬영을 하는 경우가 있다. X선 촬영을 하는 이유를 서술하시오.

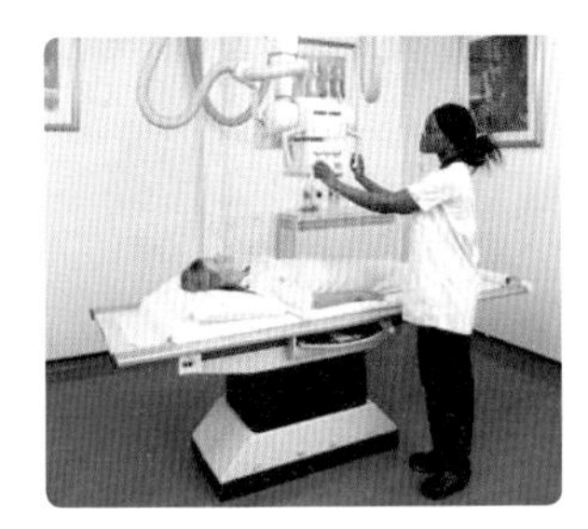

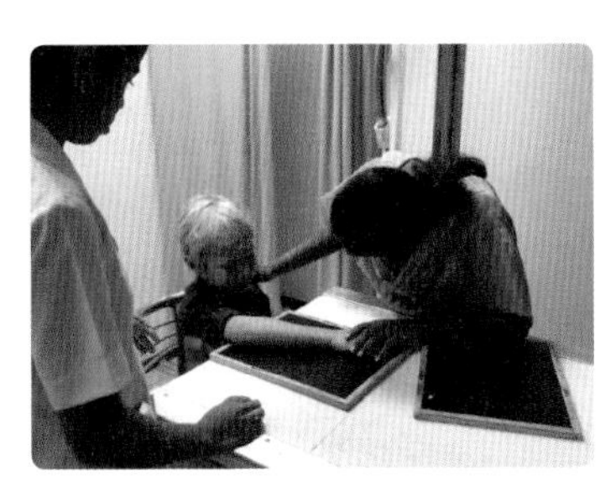

2 X선으로 우리 몸을 찍으면 다음과 같은 모습으로 찍힌다. X선 사진에서 뼈와 이가 주위보다 하얗게 보이는 이유를 서술하시오.

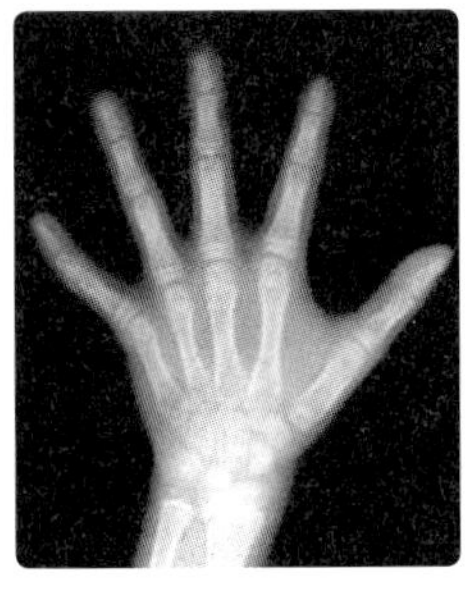
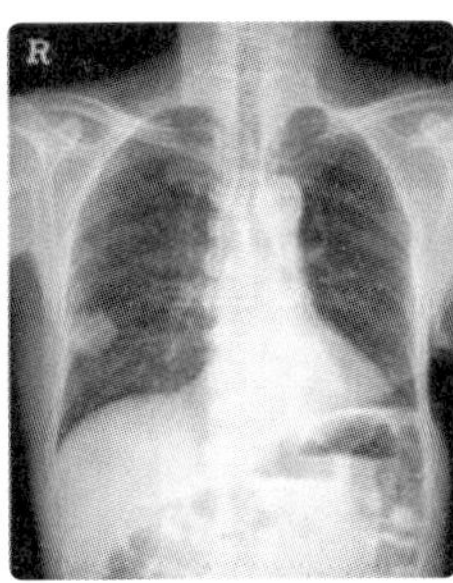

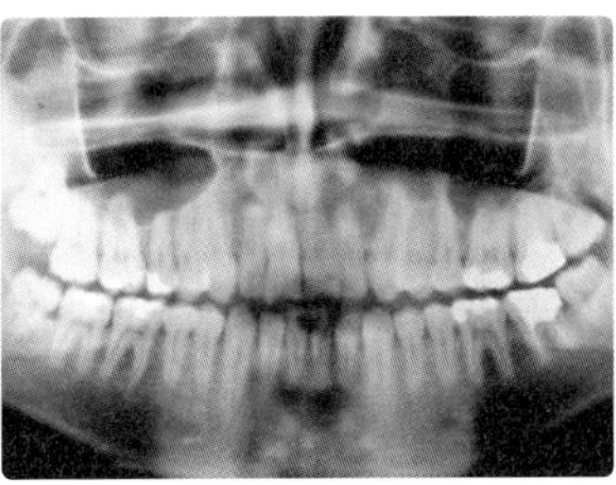
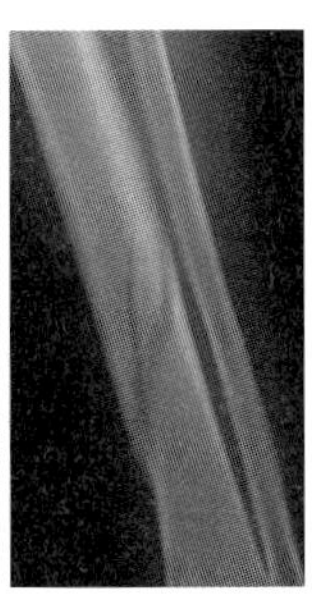

STEP 2 문제해결

1 X선은 빛의 한 종류이다. X선이 가진 성질을 3가지 서술하시오.

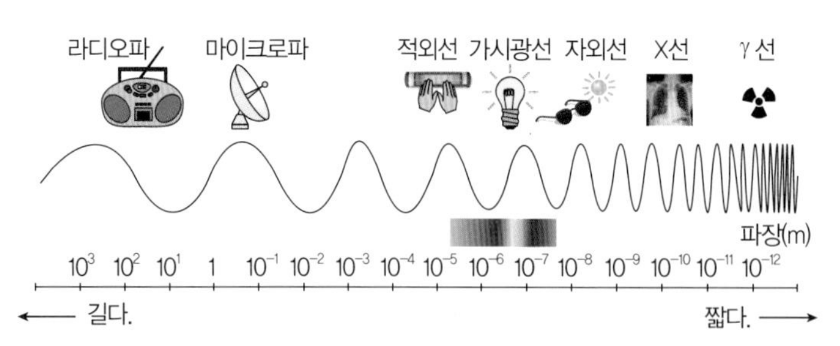

X선 발견

2 빛을 잘 통과시키는 물질과 잘 반사시키는 물질을 각각 2가지씩 쓰고, 특징을 서술하시오.

3 유리는 빛을 잘 통과시키는 물질이다. 그러나 어두운 밤에 불이 환하게 켜진 거실에 앉아 창문을 보면 유리가 마치 거울처럼 보인다. 빛을 잘 통과시키는 유리가 밤이 되면 물체를 반사시키는 거울이 되는 원리를 서술하시오.

4 빛은 물체에 닿으면 반사되거나 투과되거나 흡수된다. 거울과 같은 물체는 빛을 잘 반사하고, 비닐과 같이 투명한 물체는 빛을 잘 투과하며, 검은 종이는 빛을 잘 흡수한다. 반사 유리는 한쪽 면은 빛을 반사하고 한쪽 면은 빛을 투과시키는 성질이 있다. 반사 유리를 이용하여 귀신의 집을 만들려고 한다. 사람이 지나가면 귀신이 나타나는 섬뜩한 귀신의 집을 설계하시오.

STEP 3 융합사고

1 더위에 낮을 피해 밤에 활동을 즐기는 나포츠족(night+sports)들은 안전을 위해 재킷이나 팬츠, 신발에 빛 반사 기능을 장착하여 눈에 잘 띄도록 한 원단으로 만든 의류를 입는 것이 좋다. 이 기능은 차량 전조등에서 나온 빛이 도로표지판에서 재귀반사 되어 반짝이는 것과 같다. 다음 그림을 바탕으로 재귀반사의 정의와 좋은 점을 추리하여 서술하시오.

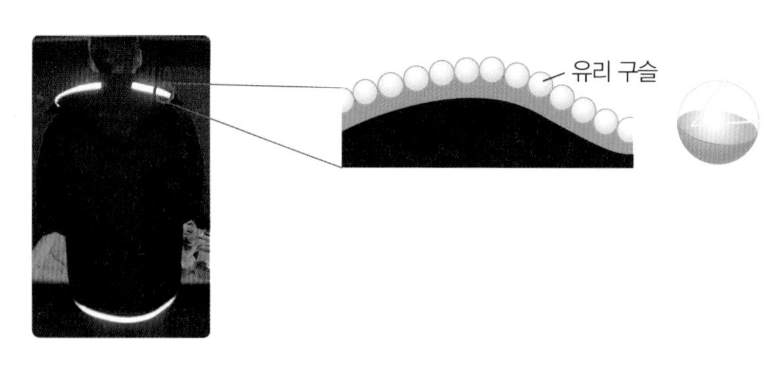

2 스텔스기는 상대의 레이더, 적외선 탐지기, 음향 탐지기 및 육안에 의한 탐지기를 포함한 모든 탐지 기능에 포착되지 않도록 만든 비행기이다. 스텔스기가 모든 탐지 장치를 피하기 위해 사용하는 방법을 추리하여 2가지 서술하시오.

3 북한 최고지도자 김정일은 비행기가 있음에도 불구하고 항상 기차로 움직였다. 전용열차가 스텔스 기능을 갖춘 특수 그물망으로 덮여 있어 미국의 위치 추적을 피할 수 있기 때문이다.

스텔스 열차는 RAM(Rader absorbent material, 레이더 흡수 물질)이 포함된 얇은 필름을 열차 표면에 감싸듯 입혔다. RAM은 메타물질 중 하나이다.
빛은 물체를 만나면 투과, 굴절, 반사, 흡수되는데, 메타물질은 빛을 산란시켜 반사하거나 흡수하지 않고 180°이상 휘어지게 하여 뒤로 흘려보낸다. 따라서 메타물질 안에 있는 물체는 빛과 부딪히지 않으므로, 우리 눈에 보이지 않는다.

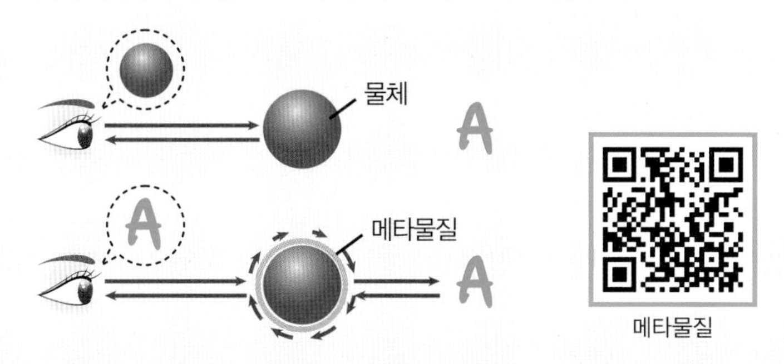

메타물질은 빛 뿐만 아니라 전자파, 음파 등 일반적인 파동의 전파를 조절할 수 있다.

메타물질을 어떻게 활용하면 좋을지 고안하여 3가지 서술하시오.

탐구보고서

문제인식 1 STEP

① 탐구 주제 (제목)

문제해결 2 STEP

② 탐구 문제 (가설)

③ 탐구 방법

4 탐구 결과 (표 또는 그래프로 작성)

5 탐구 결론

유합사고 3 STEP

6 탐구에 대한 나의 의견 (고민, 아쉬운 점, 느낀점, 새로 알게 된 점, 더 알고 싶은 점)

활동 평가표

<table>
<tr><td>주제</td><td colspan="5">속 보이는 X선</td></tr>
<tr><td rowspan="2">영역</td><td colspan="2" rowspan="2">평가 기준</td><td colspan="3">평가 척도</td></tr>
<tr><td>우수</td><td>보통</td><td>노력 요함</td></tr>
<tr><td rowspan="4">활동 목표 성취</td><td colspan="2">빛의 성질을 설명할 수 있었다.</td><td></td><td></td><td></td></tr>
<tr><td colspan="2">학습했던 빛의 성질을 응용하여 귀신의 집을 디자인할 수 있었다.</td><td></td><td></td><td></td></tr>
<tr><td colspan="2">귀신의 집을 디자인하면서 창의적 문제해결력을 기를 수 있었다.</td><td></td><td></td><td></td></tr>
<tr><td colspan="2">이 수업을 통해 통합능력과 의사소통능력이 향상되었다.</td><td></td><td></td><td></td></tr>
<tr><td rowspan="5">융합 · 연계 분야 촉진</td><td>과학(S)</td><td>나는 빛의 성질을 이해하기 노력하였다.</td><td></td><td></td><td></td></tr>
<tr><td>기술(T)</td><td>나는 반사 유리에서 빛이 반사되고 투과되는 정도를 조절하는 방법을 고안하기 위해 노력하였다.</td><td></td><td></td><td></td></tr>
<tr><td>공학(E)</td><td>나는 귀신의 집에서 귀신이 갑자기 나타나도록 하는 방법을 찾기 위해 노력하였다.</td><td></td><td></td><td></td></tr>
<tr><td>예술(A)</td><td>나는 새롭고 창의적인 귀신의 집 모양을 디자인을 하기 위해 노력하였다.</td><td></td><td></td><td></td></tr>
<tr><td>수학(M)</td><td>나는 반사 유리에서 빛이 반사되는 정도와 투과되는 정도를 수학적으로 해석하려고 노력하였다.</td><td></td><td></td><td></td></tr>
<tr><td>종합 및 기타 의견</td><td colspan="5"></td></tr>
</table>

평가 시 유의사항

※ 활동 평가표는 팀별 프로젝트 활동 중 또는 활동이 끝난 후 작성한다.

※ 활동 평가표의 작성 및 평가 시 유의점은 아래와 같다.

- '평가 척도'는 우수, 보통, 노력 요함이며 해당되는 란에 ∨표 한다.
- 활동 목표는 이 수업을 통해 얻게 된 결과물을 중심으로 평가한다.
- 융합 · 연계분야 성취는 이 활동을 통해 얻게 되는 융합 교육적 효과를 중심으로 평가한다.
- 종합 및 기타 의견에는 수업과 관련한 특이사항 및 종합, 느낀 점, 기타 사항을 기술한다.

영재교육원 대비

안쌤의 창의적 문제해결력

과학 6

5·6 학년

과학적 관점에서 본 세월호

2014년 4월 16일 전라남도 진도 앞바다에서 여객선이 침몰했다.

세월호는 적정 화물 적재량보다 약 3배 더 많은 화물 3천 608톤을 실었고, 과적으로 만재흘수선이 물 속에 잠겼다. 세월호는 평소에는 사용하지 않는 선수 밸러스트 탱크에 평형수 60톤을 넣고 선미의 평형수를 빼서 선미를 올려 배 중앙 아래쪽에 표시된 만재흘수선이 보이도록 하였으며, 평형수는 한국선급 요청 기준량의 1/4에 불과한 580톤만 채웠다.

평형수란 배의 수평을 맞추기 위해 사용하는 물이고, 만재흘수선이란 선박이 충분한 부력을 갖고 안전하게 항해하기 위해 물에 잠겨야 할 적정 수위를 선박 측면에 표시한 선이다. 선박 외관에 확연히 다른 색깔로 칠해져 있어 만재흘수선은 누구나 쉽게 알아볼 수 있다. 선박에 화물을 과적해 만재흘수선이 물 아래로 잠기면 출항이 금지된다.

한국선급은 세월호가 선실 증축 등으로 무게 중심이 51cm 높아졌으므로 화물을 덜 싣고 평형수를 2천 23톤으로 늘리라고 요구했다. 개조한 배가 안정성을 가지려면 화물을 덜 싣고 평형수를 더 채워야 하기 때문이다. 그러나 세월호는 전체 중량을 유지하기 위해 돈이 되는 화물을 더 싣고 평형수를 줄였으며, 이는 사고로 이어졌다.

배가 안정적으로 운항을 하기 위해서 필요한 요소는 무엇일까?

1 물속에서 물체를 들어올리면 같은 무게이지만 공기 중에서와 다르게 손쉽게 들어올릴 수 있다. 이것은 물체에 중력과 반대 방향으로 물이 물체를 밀어올리는 부력이 작용하기 때문이다. 부력이 생기는 이유를 서술하시오.

2 배가 물 위에 뜨려면 얼마만큼의 부력을 받아야 하는지 서술하시오.

STEP 2 # 문제해결

1 공기 중에서 측정한 추의 무게는 250g이었다. 그런데 이 추를 물속에 잠기게 한 후 무게를 측정하니 180g이 되었다.

[1] 부력의 크기는 몇 g인지 쓰시오.

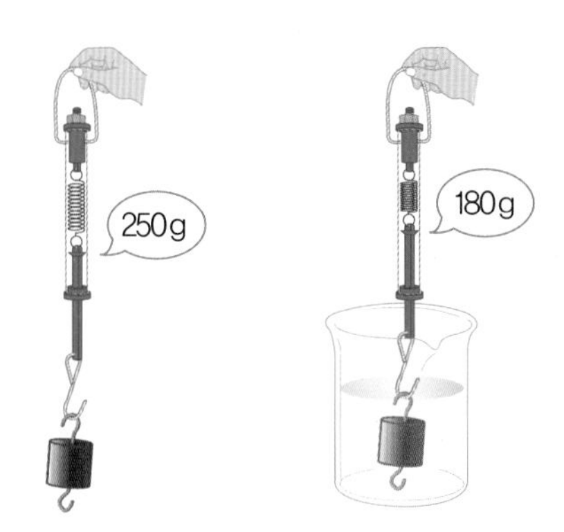

[2] 추가 밀어낸 물의 부피에 해당하는 물의 무게는 몇 g인지 쓰시오.

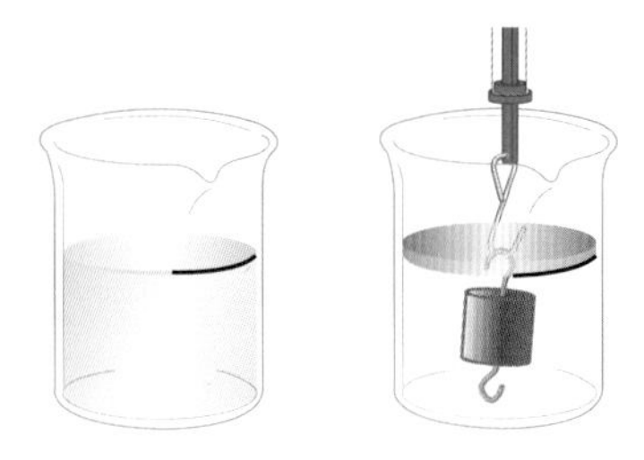

2 세월호는 증축하는 과정에서 무게가 239톤 증가하고 무게중심이 51cm 높아졌다. 증축한 세월호가 안전하게 운항하기 위해서는 부력을 크게 받도록 해야 한다. 물에서 배가 받는 부력을 크게 하려면 어떻게 해야할까? 부력의 크기에 영향을 주는 요소를 확인할 수 있는 가설을 세우시오.

3 **2** 에서 세운 부력의 크기에 영향을 주는 요소를 확인할 수 있는 가설에 맞게 실험을 설계하시오.

실험 방법

예상되는 결과

STEP 3 융합사고

1 부력은 물속에서 뿐만 아니라 공기 중에서도 작용한다. 헬륨을 채운 풍선이나 열기구가 공기 중에서 떠오르는 것은 이들의 무게보다 공기에 의한 부력이 크기 때문이다. 만약 물체의 무게를 진공 상태에서 측정한다면 공기 중에서 측정할 때와 어떤 차이가 있을지 비교하여 서술하시오.

2 선박의 부력을 조절하여 안전 항해에 절대적으로 필요한 평형수는 해양 생태계를 파괴하는 주범이 되기도 한다. 유엔 산하 국제해사기구(IMO)에 따르면 연간 50억 톤 이상의 평형수가 외항선을 통해 국경을 넘어 이동하고 있으며, 이로 인해 7,000 여종의 해양 생물이 운반되고 있다고 한다. 평형수가 해양 생태계를 파괴하는 주범이 되는 이유를 추리하여 서술하시오.

3 선박 기초 설계 시 가장 중요한 요소가 안전이다. 그러나 아무리 큰 선박이라도 일정량 이상의 힘을 가진 파도를 옆에서 맞으면 뒤집어 지게 되어 있다. 따라서 선박을 설계할 때 기본적으로 복원력을 가지도록 설계한다. 위급한 상황에 대비하고 인명 피해를 줄일 수 있는 선박 안정장치를 고안하시오.

탐구보고서

문제인식 1 STEP

1 탐구 주제 (제목)

문제해결 2 STEP

2 탐구 문제 (가설)

3 탐구 방법

4 탐구 결과 (표 또는 그래프로 작성)

5 탐구 결론

융합사고 3 STEP

6 탐구에 대한 나의 의견 (고민, 아쉬운 점, 느낀점, 새로 알게 된 점, 더 알고 싶은 점)

활동 평가표

주제	과학적 관점에서 본 세월호				
영역	평가 기준		평가 척도		
			우수	보통	노력 요함
활동 목표 성취	부력이 생기는 원인을 설명할 수 있었다.				
	학습했던 부력의 정의를 바탕으로 부력의 크기에 영향을 미치는 요소를 알아보는 실험을 계획할 수 있었다.				
	부력의 크기에 영향을 미치는 요소를 찾는 실험을 설계하면서 창의적 문제해결력을 기를 수 있었다.				
	이 수업을 통해 통합능력과 의사소통능력이 향상되었다.				
융합 · 연계 분야 촉진	과학(S)	나는 부력이 생기는 원인을 이해하기 위해 노력하였다.			
	기술(T)	나는 부력의 크기에 영향을 미치는 요소를 찾는 실험을 계획하기 위해 준비물을 적절하게 변형하여 사용하였다.			
	공학(E)	나는 물체에 작용하는 부력의 크기를 비교하기 위한 방법을 찾기 위해 노력하였다.			
	예술(A)	나는 부력의 크기를 비교할 수 있는 새롭고 창의적인 실험 설계를 하기 위해 노력하였다.			
	수학(M)	나는 물체가 물을 밀어낸 양과 부력의 크기를 수학적으로 해석하기 위해 노력하였다.			
종합 및 기타 의견					

평가 시 유의사항

※ 활동 평가표는 팀별 프로젝트 활동 중 또는 활동이 끝난 후 작성한다.

※ 활동 평가표의 작성 및 평가 시 유의점은 아래와 같다.

- '평가 척도'는 우수, 보통, 노력 요함이며 해당되는 란에 ∨표 한다.
- 활동 목표는 이 수업을 통해 얻게 된 결과물을 중심으로 평가한다.
- 융합 · 연계분야 성취는 이 활동을 통해 얻게 되는 융합 교육적 효과를 중심으로 평가한다.
- 종합 및 기타 의견에는 수업과 관련한 특이사항 및 종합, 느낀 점, 기타 사항을 기술한다

영재교육원 대비

안쌤의 창의적 문제해결력

과학 7

중력의 소중함, 그래비티

'그래비티'는 '우주 쓰레기'에서 시작되는 영화이다. 허블망원경을 수리하기 위해 파견된 라이언 스톤 박사는 러시아가 자국의 첩보위성을 미사일로 파괴하는 바람에 생겨난 우주 쓰레기 때문에 위기에 처한다. 갖은 고난과 죽음의 위기를 겪은 끝에 그녀는 어렵사리 지구로 귀환한다.

이처럼 단순한 이야기가 호평받는 이유는 3D 기술을 이용해 우주 공간을 섬세하고 생생하게 연출했기 때문이다. 또 광활한 우주 속에서 인간의 존재를 되돌아보게 만들었다.

스톤 박사가 잠시 위험에서 벗어나 우주선에 다시 탑승했을 때, 두꺼운 우주복을 벗고 안도의 숨을 쉬기 위해 미세중력(지구 주위엔 미세하나마 중력이 존재함)의 공간에 웅크린 채 둥둥 떠 있는 장면은 탄생을 기다리는 태아의 모습을 떠오르게 했다. 우여곡절 끝에 스톤 박사가 불시착한 지구의 어느 호수에서 뭍으로 힘들게 올라왔을 때, 지구 중력이 낯설어 간신히 나와 두 발로 일어서는 장면 역시 뭉클하다.

영화는 스톤 박사가 느꼈을 공포와 두려움을 우리에게 고스란히 전달한다. 우주복의 생명유지 장치가 영원히 작동한다고 해도 우주를 떠돌면서 지구에서 행복했던 시간을 추억만 해야 한다면, 목적지도 알 수 없는 우주 속으로 한없이 날아가는 신세가 된다면 시시포스 신화에 나오는 극한의 형벌(끊임없이 돌을 밀어올리는 형벌)과 무엇이 다를까? 영화는 지구의 생활이 설령 고통스럽다 해도 지구의 중력에 이끌려 부대끼고 사는 것의 소중함을 선사한다.

1 우주정거장의 내부가 무중력 상태가 될 수 있는 것은 어떤 두 힘의 합력이 0이 되기 때문이다. 무중력 상태가 될 수 있는 두 힘을 쓰고, 두 힘의 합력인 알짜힘이 어떻게 0이 되는지 서술하시오.

2 우주 공간에는 우주선을 발사할 때 생긴 쓰레기, 연료통, 수명을 다한 인공 위성, 공구 등 크기와 종류가 다양한 우주쓰레기가 있다. 이 우주쓰레기는 크기가 작은 것도 매우 위험하다. 작은 우주쓰레기가 위험한 이유를 추리하여 서술하시오.

STEP 2 문제해결

1 다음은 우주정거장 속에 있는 주인공의 모습이다. 이 장면에서 과학적으로 잘못된 점을 찾고 그 이유를 서술하시오.

2 영화에서 보면 진공 상태인 우주 공간에서 우주인이 파편을 맞는다. 잠시 후 우주인은 몸이 부풀어 오르고 혈액이 끓어올랐다. 그 이유를 추리하여 서술하시오.

3 우주인이 우주복 없이 우주 공간에 나갔을 때의 신체 변화를, 진공 용기를 이용하여 확인하려고 한다. 이 실험을 설계하시오.

[1] 몸이 부풀어 오르는 신체 변화를 확인할 수 있는 실험을 설계하시오.

[2] 혈액이 끓어오르는 신체 변화를 확인할 수 있는 실험을 설계하시오.

STEP 3 융합사고

1. 국제우주정거장에서 머물면 혈관이 부풀면서 얼굴이 전체적으로 부어 오른다. 안구의 안압은 계속 높아지고, 심장은 지구에서는 1분에 65번, 우주에서는 69번이 뛰면서 지구보다 안정적으로 뛰게 된다. 이렇게 우리 몸이 우주에 나가면 변하는 신체 변화가 생기는 이유를 서술하시오.

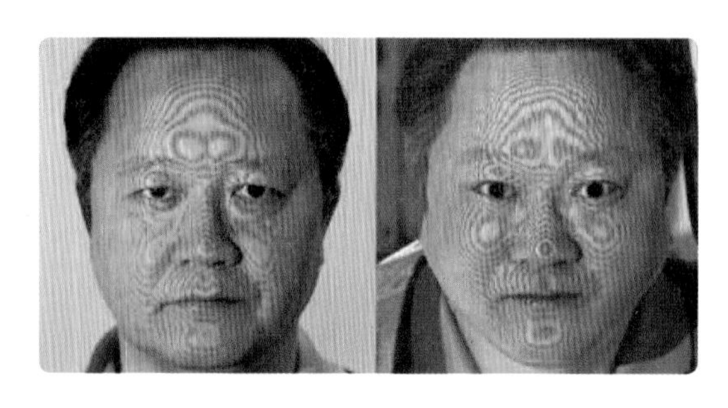

2. 만약 다음과 같이 무중력 상태에서 흠뻑 젖은 수건을 짠다면 어떻게 될까? 그렇게 생각한 이유와 함께 서술하시오.

3 예비 우주인은 우주정거장의 무중력 상태에 빠르게 적응하기 위해 지구에서 훈련을 받아야 한다. 지구에서 훈련해야 할 것은 무엇이 있을지 구체적으로 서술하시오

4 우주정거장의 무중력 상태에서 경험해 볼 수 있는 것이나 볼 수 있는 것을 그 이유와 함께 4가지 서술하시오.

탐구보고서

문제인식 1 STEP

① 탐구 주제 (제목)

문제해결 2 STEP

② 탐구 문제 (가설)

③ 탐구 방법

4 탐구 결과 (표 또는 그래프로 작성)

5 탐구 결론

유합사고 3 STEP

6 탐구에 대한 나의 의견 (고민, 아쉬운 점, 느낀점, 새로 알게 된 점, 더 알고 싶은 점)

활동 평가표

주제	중력의 소중함, 그래비티				
영역	평가 기준		평가 척도		
			우수	보통	노력 요함
활동 목표 성취	무중력 상태에서 신체의 변화를 설명할 수 있었다.				
	무중력 상태에서 신체의 변화를 실험을 통해 고안할 수 있었다.				
	무중력 상태에서 신체의 변화를 다른 물체를 이용하여 실험을 설계하면서 창의적 문제해결력을 기를 수 있었다.				
	이 수업을 통해 통합능력과 의사소통능력이 향상되었다.				
융합 · 연계 분야 촉진	과학(S)	나는 무중력 상태에서 신체의 변화를 이해하기 위해 노력하였다.			
	기술(T)	나는 무중력 상태에서 신체의 변화를 설명할 수 있는 실험을 설계하는 능력을 발휘하였다.			
	공학(E)	나는 무중력 상태에서 신체의 변화를 물체를 이용하여 설명하기 위해 노력하였다.			
	예술(A)	나는 새롭고 창의적인 물체를 사용하여 무중력 상태에서 신체의 변화를 설명하기 위해 노력하였다.			
	수학(M)	나는 무중력 상태에서 물체의 변화를 어림잡지 않고 수학적으로 해석하였다.			
종합 및 기타 의견					

평가 시 유의사항

※ 활동 평가표는 팀별 프로젝트 활동 중 또는 활동이 끝난 후 작성한다.

※ 활동 평가표의 작성 및 평가 시 유의점은 아래와 같다.

- '평가 척도'는 우수, 보통, 노력 요함이며 해당되는 란에 ∨표 한다.
- 활동 목표는 이 수업을 통해 얻게 된 결과물을 중심으로 평가한다.
- 융합 · 연계분야 성취는 이 활동을 통해 얻게 되는 융합 교육적 효과를 중심으로 평가한다.
- 종합 및 기타 의견에는 수업과 관련한 특이사항 및 종합, 느낀 점, 기타 사항을 기술한다

영재교육원 대비

안쌤의 창의적 문제해결력

과학 8

STEP 1 문제인식

킥에 숨어 있는 과학

1997년 6월 프랑스와 브라질의 경기. 브라질의 호베르투 카를루스는 골문 30m 지점에서 프리킥 기회를 얻었다. 왼발로 강하게 찬 슈팅은 프랑스 수비벽을 한참 비켜 나갔다. 공은 큰 각도로 골문을 벗어나는 듯 했다. 하지만 갑자기 공이 바나나처럼 휘더니 그대로 골망을 흔들었다. 시속 135km, 초당 10회 이상의 강한 회전이 걸린 슈팅이었다. 카를루스가 찬 공은 수비벽을 완전히 옆으로 비꼈기 때문에 골키퍼는 공을 볼 수조차 없었다. 카를루스의 이 골은 지금까지도 역대 최고의 프리킥 골로 꼽힌다.

카를루스 바나나킥

철벽같은 수비벽 사이를 뚫거나 넘어서 그물을 세차게 흔드는 직접 프리킥 골은 강렬함과 짜릿함을 선사한다. 아무나 넣을 수 없는 골이다. 데이비드 베컴(잉글랜드), 크리스티아누 호날두(포르투갈), 지네딘 지단(프랑스) 등 남보다 탁월한 기술을 지닌 세계적인 축구스타들만이 환상적인 프리킥을 통해 명성을 얻었다.

브라질 월드컵에서도 멋진 프리킥이 탄생했다. 나이지리아와 아르헨티나가 1대 1로 맞선 상황, 메시의 25m 프리킥 찬스. 시속 89.1km, 18.5° 각도로 찬 공이 시계방향으로 돌면서 오른쪽으로 크게 휘더니 골망을 흔들었다. 만약 공에 회전이 걸리지 않았다면 골키퍼가 충분히 막을 수 있어서 노골이 되었을 것이다.

메시 바나나킥

프리킥으로 찬 공은 어떻게 크게 휘어서 수비벽을 피할 수 있었을까?

1 월드컵 경기에서는 FIFA가 정한 '공인구'만 사용되는데, 이번에는 '브라질 사람'을 뜻하는 브라주카가 공인구로 결정되었다. 기본적인 축구공은 12개의 오각형과 20개의 육각형으로 구성된다. 2002년 한일 월드컵 때까지는 32조각 축구공이 사용되었지만, 이후 2006년에는 14조각, 2010년에는 8조각짜리 공인구가 사용되었으며, 이번 브라질 월드컵 '브라주카'는 6조각으로 이뤄진 축구공이다. 축구공 조각 수가 줄어드는 이유를 추리하여 서술하시오.

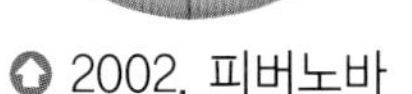
2002, 피버노바

2006, 팀가이스트

2010, 자블라니

2014, 브라주카

브라주카 제작과정

2 2010년 남아공 월드컵의 공인구인 '자블라니'는 사실상 실패작이었다. 자블라니의 예기치 않은 비행궤적 변화에 당혹스런 상황이 자주 연출되었다. 브라주카는 자블라니보다 2개 적은 6개의 조각으로 이루어졌지만 이음매를 3배 깊게 만들었다. 브라주카에 이음매를 깊게 만든 이유를 추리하여 서술하시오.

STEP 2 문제해결

1 축구에서 공을 차는 기술은 여러 가지가 있지만 그 중 최고는 코너킥이나 프리킥에서 주로 사용하는 '바나나킥'(스핀킥)이다. 바나나킥이란 공의 날아가는 모습이 바나나와 같이 휘어진다고 해서 붙여진 이름이다. 바나나킥은 선수들만 찰 수 있는 것일까? 바나나킥의 원리를 다음 그림을 바탕으로 추리하여 서술하시오.

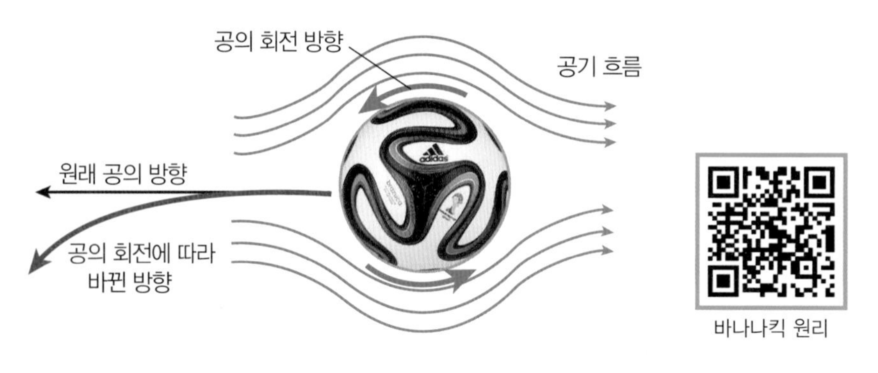

2 프리킥을 할 때 수비진을 넘어가게 하기 위하여 공이 정면 위로 날아가되, 수비진을 넘은 후 아래쪽으로 휘게 하려면 공을 어떻게 차야할지 바나나킥의 원리를 이용하여 서술하시오.

3 마그누스의 힘으로 스타이로폼 공이 계단 위로 올라가는 방법을 확인할 수 있는 실험을 설계하시오.

실험 방법

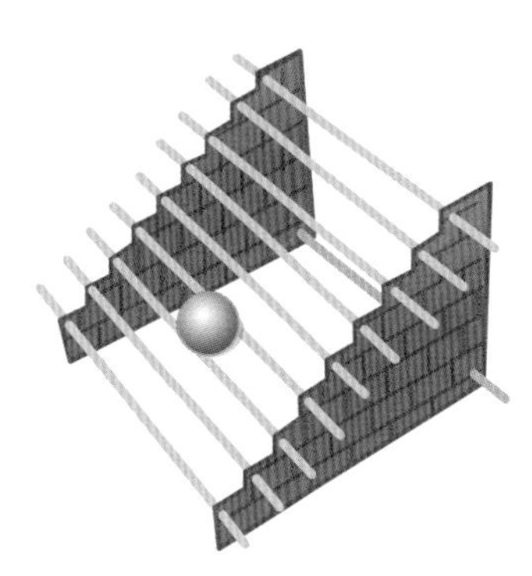

예상되는 결과

공이 위로 올라가는 이유

1 자동차 트렁크에 마치 비행기 날개처럼 붙어 있는 것을 스포일러라고 한다. 스포일러의 모양은 비행기의 날개와 반대로 지면을 향하는 아래쪽이 볼록하고 위쪽이 평평하며 위를 향해 기울어져 있다. 자동차에 스포일러를 붙이는 이유를 공기의 흐름과 관련지어 서술하시오.

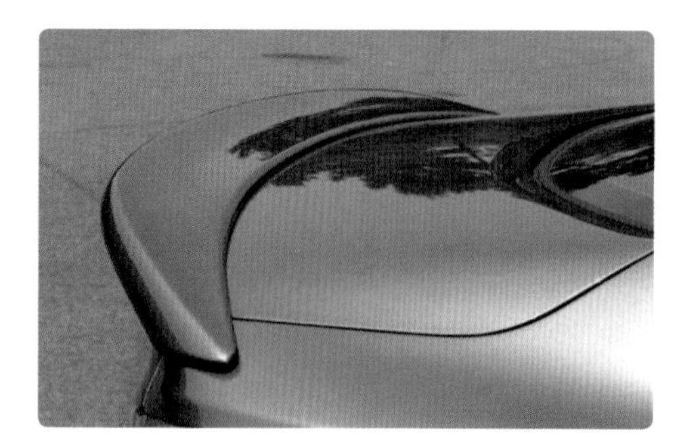

2 골프공이 멀리 날아가게 하려면 공기 저항을 줄여야 한다. 일반적으로 표면이 매끄러운 물체일수록 공기 저항이 작다. 그러나 골프공은 울퉁불퉁하게 파인 홈(딤플)이 파여 있어 공기 저항을 줄였다. 골프공에서 딤플이 어떻게 공기 저항을 줄이는지 추리하여 서술하시오.

3 아폴로 17호 우주 비행사들은 달에 착륙해서 달에 있던 바위로 축구를 했다고 한다.

[1] 달에서 축구를 한다면 지구에서 하는 축구와 어떻게 다른지 서술하시오.

달에서의 축구

[2] 달에서도 바나나킥이 가능할지 추리하여 서술하시오.

탐구보고서

문제인식 1 STEP

① 탐구 주제 (제목)

문제해결 2 STEP

② 탐구 문제 (가설)

③ 탐구 방법

4 탐구 결과 (표 또는 그래프로 작성)

5 탐구 결론

유합사고 3 STEP

6 탐구에 대한 나의 의견 (고민, 아쉬운 점, 느낀점, 새로 알게 된 점, 더 알고 싶은 점)

활동 평가표

<table>
<tr><td>주제</td><td colspan="5">킥에 숨어 있는 과학</td></tr>
<tr><td rowspan="2">영역</td><td colspan="2" rowspan="2">평가 기준</td><td colspan="3">평가 척도</td></tr>
<tr><td>우수</td><td>보통</td><td>노력 요함</td></tr>
<tr><td rowspan="4">활동 목표 성취</td><td colspan="2">바나나킥의 원리를 설명할 수 있었다.</td><td></td><td></td><td></td></tr>
<tr><td colspan="2">학습했던 과학 원리를 응용하여 계단을 올라가는 공을 설계할 수 있었다.</td><td></td><td></td><td></td></tr>
<tr><td colspan="2">마그누스 힘으로 계단을 올라가는 공을 설계하면서 창의적 문제해결력을 기를 수 있었다.</td><td></td><td></td><td></td></tr>
<tr><td colspan="2">이 수업을 통해 통합능력과 의사소통능력이 향상되었다.</td><td></td><td></td><td></td></tr>
<tr><td rowspan="5">융합 · 연계 분야 촉진</td><td>과학(S)</td><td>나는 마그누스의 힘이 생기는 원리를 이해하기 위해 노력하였다.</td><td></td><td></td><td></td></tr>
<tr><td>기술(T)</td><td>나는 마그누스의 힘이 생기도록 빨대와 공기의 힘을 적절하게 사용하였다.</td><td></td><td></td><td></td></tr>
<tr><td>공학(E)</td><td>나는 공이 계단을 올라갈 수 있도록 적절한 계단의 높이와 간격을 찾기 위해 노력하였다.</td><td></td><td></td><td></td></tr>
<tr><td>예술(A)</td><td>나는 새롭고 창의적인 디자인을 하기 위해 노력하였다.</td><td></td><td></td><td></td></tr>
<tr><td>수학(M)</td><td>나는 각 공기가 흐르는 속도와 압력의 관계를 수학적으로 해석하기 위해 노력하였다.</td><td></td><td></td><td></td></tr>
<tr><td>종합 및 기타 의견</td><td colspan="5"></td></tr>
</table>

평가 시 유의사항

※ 활동 평가표는 팀별 프로젝트 활동 중 또는 활동이 끝난 후 작성한다.

※ 활동 평가표의 작성 및 평가 시 유의점은 아래와 같다.

- '평가 척도'는 우수, 보통, 노력 요함이며 해당되는 란에 V표 한다.
- 활동 목표는 이 수업을 통해 얻게 된 결과물을 중심으로 평가한다.
- 융합 · 연계분야 성취는 이 활동을 통해 얻게 되는 융합 교육적 효과를 중심으로 평가한다.
- 종합 및 기타 의견에는 수업과 관련한 특이사항 및 종합, 느낀 점, 기타 사항을 기술한다

부록 안쌤이 추천하는

초등학생 과학 대회 안내

[연간 진행되는 과학 대회 중 주요 대회 리스트]

4월

자연관찰탐구대회

과학탐구실험대회

과학탐구토론대회

학생 과학발명품 경진대회

7월

초등과학 창의사고력대회
– 서울교육대학교 주최

한국과학창의력대회
– 한국과학교육단체총연합회 주최

11월

하반기 초등과학 창의사고력대회
– 서울교육대학교 주최

영재교육 창의적 산출물대회

01 자연관찰탐구대회

목적

★ 자연에 대한 관심과 호기심을 가지고 자연의 세계를 초보적으로 탐구하는 관찰 탐구력을 신장시킨다.

★ 과학의 기본적인 관찰 탐구력을 익혀 미래사회에 필요한 창의적인 과학 핵심역량을 함양한다.

개요

★ 초등학교 5, 6학년을 대상으로 한다.

★ 참가대상은 5학년과 6학년이며, 동일 학교 학생 2명으로 한 모둠을 구성한다.

★ 지도교사는 1명으로 하며, 같은 학교의 학생을 지도한다.

★ 시·도 예선대회에서 선발된 모둠이 전국대회에 참가한다.

★ 관찰탐구의 전 과정을 탐구 보고서를 작성하여 제출한다.

★ 관찰탐구 시간은 120~180이며, 관찰 주제에 따라 조정한다.

예선대회

★ 시·도 과교총 주관으로 실시한다.

★ 예선대회 개최 기간 : 4월~7월 중

전국대회

★ 한국과학교육단체총연합회 주관으로 실시한다.

★ 참가대상 및 인원 : 시·도 예선에서 선발된 98개 모둠 196명

★ 개최 일자 : 9월 중

홈페이지 http://www.kofses.or.kr/compet/student_01.htm

출제문항 유형

유형 1

과제 1 지정된 장소에서 잔디밭과 주변의 식물(풀)을 관찰해보면 식물(풀)이 자라는 모양은 종류에 따라 모두 다름을 알 수 있습니다. 식물(풀)이 자라는 모양(유형)을 세 가지로 나누고 그림과 글로 설명해 봅시다.

과제 2 각각의 식물(풀)이 자라는 모양(유형)이 갖는 장점과 단점을 제시해 봅시다.

과제 3 '잔디는 적절히 밟아 주어야 잘 자란다'는 말이 있습니다. 이 말이 맞는지 틀리는지를 과학적으로 알아볼 수 있는 방법을 두 가지 이상 제시해 봅시다.

과제 4 사람들이 공원 잔디밭에 들어가는 경우와 관련하여 적절한 잔디밭 관리 방법을 이유와 함께 제시해 봅시다.

유형 2

과제 1 일정한 공간에 메타세쿼이아로 그늘을 만들고 이 나무들이 튼튼하게 잘 자라게 하려고 합니다.

① 이러한 조건을 모두 충족시킬 수 있는 메타세쿼이아 나무 사이의 가장 적절한 거리를 알아낼 수 있는 방법을 두 가지 이상 제시하시오.

② 이 중에서 한 가지 방법을 선택하여 메타세쿼이아의 개체 간 최적 거리를 알아내어 제시하시오.

③ ②번과 같이 제시한 이유를 과학적으로 설명하시오.

과제 2 탐구 장소에는 여러 가지 나무들이 자라고 있다. 관찰을 통해 이 나무들이 자라는 유형을 두 가지로 나누고 각 유형의 특징을 그림과 글로 설명하시오.

과제 3 흔히 소나무는 상록수라고 하는데, 현재 탐구 장소에서 자라고 있는 소나무의 모습을 관찰하여 소나무 잎의 수명을 알아내는 과학적 원리와 그 원리를 토대로 알아낸 소나무 잎의 수명을 제시하시오.

02 과학탐구실험대회

목적

★ 과학 탐구실험을 통하여 과학 탐구능력과 과학적 태도를 익혀 창의적으로 문제를 해결하는 능력을 기른다.

★ 과학 탐구실험 방법을 익히고 창의력과 과학 사고력을 길러 미래사회에 필요한 과학 핵심역량을 함양한다.

개요

★ 중학교 1, 2학년 학생을 대상으로 한다.

★ 참가대상은 중학교 1, 2학년이며, 동일 학교 학생 2명으로 한 모둠을 구성한다.

★ 지도교사는 1명으로 하며, 같은 학교의 학생을 지도한다.

★ 시·도 예선대회에서 선발된 모둠이 전국대회에 참가한다.

★ 주어진 탐구주제에 대하여 창의적인 탐구실험을 수행하고 탐구의 전 과정과 실험 결과를 실험보고서로 제출한다.

★ 탐구주제는 가급적 기초적인 과학 탐구방법을 통하여 해결할 수 있는 융합과학적인 주제로 한다.

★ 탐구실험 시간은 120~180이며, 실험주제에 따라 조정한다.

예선대회

★ 시·도 과교총 주관으로 실시하여 선발한다.

★ 예선대회 개최 기간 : 4월~7월 중

전국대회

★ 한국과학교육단체총연합회 주관으로 실시한다.

★ 참가대상 및 인원 : 시·도 예선에서 선발된 70개 모둠 140명

★ 개최 일자 : 8월 중

홈페이지 http://www.kofses.or.kr/compet/student_01.htm

출제문항 유형

유형 1

탐구 과제

[Ⅰ] 수련 잎과 개나리 잎을 주어진 실험기구를 사용하여 관찰해 봅시다.

❶ 두 식물 잎을 관찰할 수 있는 계획을 세워 봅시다.

❷ 두 식물 잎의 공통점과 차이점을 찾아봅시다.

[Ⅱ] 수련의 잎이 갈라진 원인을 알아봅시다.

❶ 수련의 잎이 갈라진 원인에 대한 가설을 설정해 봅시다.

❷ 가설을 확인할 수 있는 실험계획을 세워 봅시다.

❸ 실험계획에 따라 실험을 수행하여 봅시다.

❹ 실험결과를 정리하고 보고서를 작성해 봅시다.

유형 2

탐구 과제

[Ⅰ] 모래의 구성 성분 관찰하기

❶ 모래의 관찰 계획을 세워 봅시다.

❷ 관찰결과를 분류하여 봅시다.

[Ⅱ] 모래의 구성 성분 규명하여 고향 찾기

❶ 구성 성분의 물리, 화학적 성질을 확인할 수 있는 실험방법을 구상하여 실험계획을 세워 봅시다.

❷ 실험계획에 따라 실험을 수행하여 봅시다.

❸ 실험결과를 과학적으로 정리하여 봅시다.

❹ 위 결과를 이용하여 각 모래의 형성 과정을 설명하고, 각 모래의 채취 위치를 과학적으로 추론하여 봅시다.

03 과학탐구토론대회

목적

- 실생활 및 미래에 발생되는 문제 상황을 과학적으로 분석하여 창의적·논리적 해결방안을 모색하기 위해 다양한 정보를 수집·처리함으로써 정보처리역량을 신장시킨다.
- 집단지성에 따른 토의 · 토론 과정을 통해 문제요인 및 해결방안의 발전적 대안을 도출함으로써 과학적 의사소통 역량을 높인다.
- 실생활 및 미래사회에 일어나는 현상에 대해 과학적으로 사고하고, 탐구함으로써 과학분야에 대한 관심 및 기초 소양을 높이고, 팀원 간의 공동 사고에 의한 토론 준비과정을 통해 협력적 태도를 기른다.

운영 방침

- 토론 전 과정에서 학생의 역량을 심사할 수 있도록 하기 위해 토론 논제는 대회 당일 현장에서 발표하고 정보 수집·활용에 필요한 논제 관련 참고 자료(인쇄물 형태, 예: 도서, 논문, 기사 등)를 주최 측에서 초, 중, 고등부에 별도로 제공한다.
- 심도 있는 토론을 위해 참가팀 주장과 이를 효과적으로 펼칠 수 있는 근거(표, 도표, 기사 내용 등)를 토대로 토론개요서를 주어진 시간 내에 작성하고, 이것을 토론 활동에 충분히 활용한다.
- 참가자들은 과학적·논리적 탐구과정을 통해 문제를 해결하고, 폭넓은 과학적 소양과 논리적 토론 능력을 겸비하여 토론 규칙과 절차, 시간을 잘 지키도록 한다.
- 심사위원에게 고득점을 받은 팀이 결선에 진출하며, 조 추첨 및 발표 순서는 현장에서 참가자가 직접 추첨하여 정함으로써 대회 운영에 공정성을 기한다.

참가대상

초·중·고 학생, 학교 급별 2명 1팀(학년 제한 없음)

– 결원이 발생할 경우 나머지 1인만 참가할 수 있음(대체 인원 참가 불가)

– 불참 인원은 해당 팀이 수상한 경우에도 수상자 명단에서 제외

대회 규칙

- 토론 논제는 대회 당일 현장에서 발표한다.
- 토론의 토대를 구축하여 심도 있는 토론이 이루어질 수 있도록 토론 준비 시간을 활용하여 토론개요서를 참가 학생이 현장에서 직접 작성하여 토론에 임한다.
  - 토론개요서는 제공되는 개요서 양식에 3매 이내로 수기로 작성
  - 토론개요서에 필요한 자료를 제시할 때는 사용된 자료의 출처를 마지막 장에 표기
  - 토론개요서는 논제를 뒷받침하는 주장, 근거, 제시 자료를 정선되게 작성하고, 토론개요서를 제공한 장비를 이용하여 화면으로 게시하여 '주장발표하기'에 사용하며, 그 외 질의·응답하기, 주장다지기의 각 단계별 활동에 도움 자료로도 활용 가능
- 토론은 '토론준비 – 주장발표하기 – 작전타임–질의·응답하기 – 작전타임 – 주장다지기'의 단계로 진행된다.

<table>
<tr><th>단계</th><th>시간
(4팀 기준)</th><th>유의사항</th></tr>
<tr><td>토론 준비</td><td>180분</td><td>• 주최 측에서 제공하는 논제 관련 자료(인쇄물 형태, 예: 도서, 논문, 기사 등) 제시 및 확인
• 토론개요서는 지정된 양식과 분량, 제출 시간 준수
–토론 개요서 3매 이내 수기 작성/ –자료출처 마지막 장에 표기
–제출 시간 초과 시 감점 처리(2분당 1점씩 감점, 10분 초과 실격)
• 토론개요서 원본은 주최 측이 보관 · 관리하며, 사본을 심사위원 및 제출 팀에게 토론 과정에 참조할 수 있도록 제공</td></tr>
<tr><td>주장
발표하기</td><td>팀당
4분
(16분)</td><td>• 각 팀당 4분씩 A팀, B팀, C팀… 순서로 발표
• 토론개요서를 모니터에 화면으로 게시하여 주장 발표
• 토론개요서 넘김 등의 역할을 적절히 분담할 것</td></tr>
<tr><td>작전타임</td><td>10분</td><td>• 자기 팀을 제외한 나머지 각 팀들의 발표에 대해 논리적 · 과학적 허점을 찾아 간략하고 예리한 질문하기의 전략 준비
• 자기 팀이 받을 질문을 예상하여 팀원과 협력적으로 방어할 수 있는 답변 전략 준비</td></tr>
<tr><td>질의·
응답하기</td><td>팀당
15분
(60분)</td><td>• A팀, B팀, C팀…순서로 질의를 받음
• 질의의 기회는 응답자의 오른쪽에서 시계 반대 방향 순서로 5분씩 질의권을 가짐(5분을 초과할 경우 초과시간 10초당 1점 감점, 50초 초과 실격)
• 질의가 더 이상 없을 경우 사회자가 다음 팀에게 순서를 넘김
• 질의·응답이 토론 쟁점에서 벗어나지 않도록 주의하며, 질의·응답하기에서 우선권은 질의 팀에 있음
• 상대 팀의 질문이나 답변이 쟁점에서 벗어나거나 논지가 흐린 답변으로 시간이 지연될 경우, 질의 팀이 답변을 끊고 추가 질의를 통해 시간을 전략적으로 조절할 것</td></tr>
<tr><td>작전타임</td><td>5분</td><td rowspan="2">• 질의·응답을 통해 발견된 자신의 논리적 허점을 보완하여 자기 팀의 주장이 보다 설득력을 가질 수 있도록 논점을 요약하여 준비
• D팀, C팀, B팀… 순서로 발표
• 앞서 언급되지 않았던 새로운 논쟁거리 제시 금지
• 협력적으로 대안을 모색하되 한 사람이 대표로 의견을 취합하여 발표</td></tr>
<tr><td>주장
다지기</td><td>팀당
2분
(8분)</td></tr>
</table>

대회 진행 방식

- 3개 조로 구성하여 본선을 실시하고, 조 추첨 및 발표 순서는 현장에서 참가자가 직접 추첨하여 정한다.(단, 고교는 4개조)
- 활용 가능한 장비는 사전에 주관기관에서 준비하여 제공한 장비만 허용하며, 개인이 가져온 장비나 자료 등은 대회장에 반입할 수 없다. 특히, 외부와 연락을 취하기 위한 전자기기 및 IT 기기를 소지한 경우 실격 처리한다.
- 토론 준비, 주장 발표, 질의응답 등 토론의 전 과정에서 팀원의 역할이 균등하게 이루어지도록 한다.
- 단계별 활동 안내(4팀 기준)

<table>
<tr><th colspan="2">항목</th><th>진행 시간</th><th>비고</th></tr>
<tr><td colspan="2">논제 발표 및 유의사항 안내</td><td>30분</td><td></td></tr>
<tr><td>본선</td><td>① 토론 준비 및 개요서 제출</td><td>180분</td><td>본선진출팀</td></tr>
<tr><td colspan="2">점심시간 및 토론 연습</td><td>55분</td><td></td></tr>
<tr><td rowspan="4">본선
(4팀 : 86분)
(3팀 : 52분)</td><td>② 주장 발표하기</td><td>16분(팀당 4분)</td><td>본선진출팀</td></tr>
<tr><td>③ 작전타임</td><td>10분</td><td>본선진출팀</td></tr>
<tr><td rowspan="2">④ 질의·응답하기</td><td>60분(팀당 15분)</td><td rowspan="2">본선진출팀</td></tr>
<tr><td>30분(팀당 10분)</td></tr>
<tr><td colspan="2">휴식 및 결선 작전타임</td><td>30분</td><td></td></tr>
<tr><td rowspan="6">결선
(4팀 : 99분)
(3팀 : 3분)</td><td>⑤ 주장발표하기</td><td>16분(팀당 4분)</td><td>결선진출팀</td></tr>
<tr><td>⑥ 작전타임</td><td>10분</td><td>결선진출팀</td></tr>
<tr><td rowspan="2">⑦ 질의·응답하기</td><td>60분(팀당 15분)</td><td rowspan="2">결선진출팀</td></tr>
<tr><td>30분(팀당 10분)</td></tr>
<tr><td>⑧ 작전타임</td><td>5분</td><td>결선진출팀</td></tr>
<tr><td>⑨ 주장다지기</td><td>8분(팀당 2분)</td><td>결선진출팀</td></tr>
<tr><td colspan="2">총 시간</td><td>480분</td><td></td></tr>
</table>

– 결선토론을 위한 작전 타임에서 주장 및 토론개요서 변경 불가

- 참가자는 각 단계별 시간제한을 엄격히 준수하고, 규정 시간을 초과할 경우 감점 처리한다.

심사 규정

★ 심사 기준 및 배점

심사 영역		주안점	점수
과학적 탐구능력 및 정보처리 역량	토론 개요서 작성	정보수집·처리 능력을 바탕으로 논제의 쟁점을 과학적으로 탐구하여 원인을 분석하고, 문제해결방안을 과학적이고 창의적으로 다양한 측면을 모색하여 토론 자료를 작성하였는가?	10점
창의적 문제해결 능력 및 과학적 의사소통 능력	주장 발표	논제에 대한 원인분석과 해결방안을 과학적·창의적으로 해결방안을 제시하는가?	20점
	질의 응답	(질의)상대방 주장의 허점을 찾아 간략하고 예리한 질문을 효율적으로 하며, 과학적·논리적 응답을 이끌어내는가?	30점
		(답변)질문의 요지를 파악하고 논리적으로 답변하여 자기 팀의 주장을 확실하게 하는가?	
	주장 다지기	교차 조사에 드러난 자신의 허점을 개선하여 자기 입장의 최종적인 정당성을 밝히는가?	20번
역할 분담 (참여·태도)		팀워크를 발휘하여 공동사고로 협력적 문제해결태도를 지니고 올바른 토의 태도를 가지고 임하는가?	20점
총점			100점

★ 동점의 경우 질의·응답 → 주장발표 → 주장다지기 → 역할 분담 → 토론개요서 순으로 우선 순위를 정한다.

★ 감점 처리 사항

- 토론개요서 분량 초과 시 2점 감점
- 토론개요서 제출 마감 시각 초과 2분당 1점씩 감점(10분 초과 실격)
- 토론 단계별 과정에서 제한 시간을 초과할 경우 10초마다 1점씩 감점(50초 초과 실격)
- 질의·응답 단계에서 팀별 질의권 시간 5분을 초과할 경우 초과시간 10초당 1점씩 감점(50초 초과 실격)

★ 실격 처리 사항

- 타인의 작품을 모방했을 경우
- 정보이용 윤리 규정 사항을 위배하는 경우
- 정당한 사유 없이 참석에 늦거나 토론 진행을 지연하는 경우
- 주최 측에서 제공하지 않는 자료를 사전에 지참하여 사용한 경우
- 주최 측에서 제공하지 않는 IT 기기 소지, 외부 연락 또는 도움을 받은 경우
- 대회 참가 중 토론 논제, 토론개요서 등과 관련된 사항을 외부로 유출한 경우

초등부(녹조)

문제 상황

얼마 전 '4대강 녹조 제거 방법'을 제안한 8살 아이의 이야기가 화제가 되었다. 이 아이가 제안한 녹조의 제거 방법으로 1단계는 입자의 크기를 이용한 자연 정수기를 구안하고, 2단계는 과산화 수소수를 이용한 정화 방법이었다.
녹조는 부영양화된 호수가 유속이 느린 하천이나 정체된 바다에서 부유성의 조류인 식물성 플랑크톤인 녹조류나 남조류가 대량 증식하여 물색을 현저하게 녹색으로 변화시키는 현상이다.
녹조류의 '녹(綠)'은 녹색을 의미하며, '조류(藻類)'는 물속에 살면서 동화색소(광합성을 하는 생물에서 햇빛을 흡수하는 여러 가지 색소)를 가지고 독립 영양 생활을 하는 하등 식물을 의미한다. 즉 녹조류는 색소체가 다량의 엽록소를 가지고 있어서 녹색을 띠는 조류를 말한다. 청각이나 파래, 삿갓말 등이 녹조류에 속한다. 이렇게 녹조가 심해지면 수중생물이 죽고 악취가 나며, 그 수역의 생태계가 파괴되어 사회적·경제적·환경적 측면에서 많은 문제가 생긴다.
이러한 녹조는 일반적으로 질소(N) 및 인(P)과 같은 플랑크톤의 번식에 양분이 될 물질들이 많이 쌓여 부영양화가 일어나서 폭염이나 가을철 가뭄이 심할 때와 수온이 20 ℃ 이상으로 올라 더 빠른 속도로 진행된다.
특히, 물이 잘 흐르지 않거나 메말라가는 하천에 녹조가 덮이면 수중으로 햇빛이 차단되고 용존산소가 추가로 유입되지 않으면서 물의 용존산소량이 줄어들게 된다.
이와 같이 녹조의 주요 발생 원인은 참고 자료에 제시한 것과 같이 ① 영양 염류의 유입(질소 및 인)으로 인한 부영양화, ② 물이 흐르는 속도, ③ 20 ℃ 이상의 수온 상승을 들고 있습니다. 이들 중 한 가지 요인만 제거해도 녹조의 번식을 현저히 억제하게 될 것이다.
다음의 논제에 대해 토론개요서를 작성하여 토론하여 봅시다.

논제

1. 위에서 제시한 녹조 발생의 세 가지 원인 중에서, 녹조 발생을 효과적으로 줄일 수 있는 한 가지 요인을 선택하고, 그 이유를 충분히 설명하시오.

2. 논제 1에서 선택한 요인에 맞게 녹조 발생을 효과적으로 줄일 수 있도록 참고자료 2와 같은 창의적인 실험방법을 탐구과정에 맞게 설계하여, 그 설계가 과학적이고 타당한지에 대해 토론하여 봅시다. (단, 단순사고과정이나 인식 개선과 같은 추상적인 방법은 부적합합니다.)

기출 탐구 주제

중등부(녹조)

문제 상황

조류는 수생태계를 유지하는데 필수적인 역할을 하는 자연의 구성원이다. 하지만, 과다하게 증식되면 수생태계에 나쁜 영향을 미친다.
주로 여름과 가을에 많이 나타나는 남조류는 물속에서 녹색 빛을 띠고 있으며, 기온 상승 등으로 환경 여건에 따라 발생·소멸 현상을 반복한다. 녹조가 발생하면 수중으로 햇빛이 차단되고 물에 녹아있는 산소의 양이 줄어들게 된다.
이렇게 되면 물고기 등 수중생물이 죽고 악취가 나며, 그 수역의 생태계가 파괴되어 사회적·경제적·환경적 측면에서 많은 문제가 생긴다. 특히 가장 심각한 문제는 남조류가 생산하는 독소다.
남조류의 일종인 마이크로시스티스(Microycystis)는 마이크로시스틴이라는 간질환을 일으키는 독성물질을 함유하고 있어, 인체에 치명적 위협을 줄 뿐 아니라 가축이나 야생동물의 폐사 원인이 되기도 한다.
이와 같이 많은 문제를 유발하고 있는 녹조의 주요 발생 원인은 ① 영양 염류의 유입(질소 및 인)으로 인한 부영양화, ② 물이 흐르는 속도, ③ 20 ℃ 이상의 수온 상승을 들고 있습니다. 이들 중 한 가지 요인만 제거해도 녹조의 번식을 현저히 억제하게 될 것이다.

논제

1. 녹조의 발생 원인에 따른 녹조 발생을 효과적으로 줄이기 위한 실험을 설계하고 실험 결과를 예측하도록 합니다. 단, 사람들의 인식 개선과 같은 추상적인 방법이 아닌 녹조를 줄이기에 과학적이고 효과적으로 설계되었는지 토론하여 봅시다.

※ 아래는 과학실험에 사용되는 일반적인 과학적 탐구 과정이다. 이를 각 팀의 특성에 맞도록 수정하여 활용하세요. 단, 탐구 설계(실험 설계) 및 결론 도출(실험결과 예측)은 반드시 포함되어야 합니다.

문제 인식 → 가설 설정 → 탐구 설계 및 수행 → 자료 해석 → 결론 도출 → 일반화

2. 현재 이슈화되고 있는 녹조 문제를 해결하기 위한 방법 중 하나로 녹조를 이용하여 부가가치를 높일 수 있는 창의적인 아이디어에 대해 과학적 근거가 잘 드러나도록 제시하고 토론하여 봅시다.

04 학생과학발명품경진대회

목적

- 초·중·고 학생들에게 과학발명 활동을 통하여 창의력을 계발하고 과학에 대한 탐구심을 길러줌

주최·주관 : 미래창조과학부 동아일보사, 국립중앙과학관

출품 자격

- 초등학교 1~6학년, 중·고등학교 1~3학년 재학생
- 팀으로 구성 : 학생 1인+지도교사 1인 (학생과 지도교사 동일 학교 원칙)

일정

계획서 제출	작품설명서 제출	작품 반입	심사 결과 발표	전국 대회
4월	5월	6월	6월	7월

출품 작품의 규격

- 작품 크기 : 가로 100 cm, 세로 90 cm, 높이 60 cm 이내(완제품)
- 상기 규격을 초과하거나 특수시설을 요하는 작품(단상 전압 220 V 이상, 전력 1 KW 이상, 3상 전력을 요하는작품 등)은 출품원서 제출 시 별도 승인을 받아야 함

출품할 수 없는 작품

- 국내·외 유사 대회에서 이미 공개되었거나 발표된 작품, 상용화된 제품
- 출품자가 직접 창안하여 연구한 것이 아닌 작품
- 과학적 원리로 설명할 수 없거나 인체에 해로운 영향을 줄 수 있다고 인정되는 작품
- 표절작, 대리작, 타 대회 중복응모, 기 입상작 등 기타 정당하지 못한 작품을 출품한 자는 3년간 출품 제한 및 입상 취소함

심사 배점

구분	창의성 탐구성	실용성	노력도	경제성	합계
배점	30	30	20	20	100

05 초등과학 창의사고력대회

목적

초등학생의 과학에 대한 흥미를 증진시키고, 과학에 대한 관심과 이해 정도를 파악할 수 있는 기회를 제공한다.

주최·주관

서울교육대학교·기초과학연구원

대상 및 참가인원

- 대상 : 전국 초등학교 3, 4, 5, 6학년 학생
- 참가비 : 40,000원

일시 및 장소

- 접수기간 : 4월(홈페이지 참고)
- 시험일시 : 4월(홈페이지 참고)
- 시험장소 : 서울교육대학교

시험 형식 및 출제 방향

- 시험형식 : 주관식(단답형+서술형) 문항
- 출제범위 : 하위 학년 전 과정~해당 학년 1학기 전 과정
- 출제 방향 : 하위 학년 전 과정~해당 학년 1학기 전 과정
  - 학교에서 학습한 모든 과목의 기초 지식을 활용하여 창의적으로 문제를 해결하는 능력을 평가한다.
  - 6개 과학 창의 역량(비교 · 분류, 모형사용, 정보해석, 탐구설계, 일반화, 해결방안 도출)의 수준을 평가한다.

홈페이지 http://bsedu.snue.ac.kr

06 한국과학창의력대회

목적

제4차 산업혁명 시대를 능동적으로 이끌어 갈 창의성과 리더십을 가진 융합인재의 육성을 위해 창의적인 과학 사고력을 신장시킨다.

주최·주관 : 한국과학교육단체총연합회

대상 및 자격

★ 참가 대상 : 전국 초등학교 4, 5, 6학년, 중학교 1~3학년, 고등학교 1~3학년 학생

- 1차 시험 대상 : 초등학교 4~6(Ⅰ), 중학교 1~3(Ⅱ), 고등학교 1~3(Ⅲ), 과학고 · 과학영재학교(Ⅳ)
- 2차 시험 대상 : 1차 시험에 선발된 인원

★ 참가 인원 및 자격

- 학년별 4명 이내(단, 학년 당 학급 규모가 11학급 이상의 경우 6명 이내) 학교장 추천을 받은 학생
- 과학성적 우수자, 과학대회 및 과학체험활동에서 우수한 역량을 발휘한 자

일시 및 장소

★ 1차 : 7월(홈페이지 참고)

★ 2차 : 8월(홈페이지 참고)

★ 시험장소 : 홈페이지 확인

시험 형식 및 출제 방향

★ 1차 : 창의적 과학 문제 해결 능력 지필 평가

★ 2차 : 융합과학 창의적 산출물 제작 활동 및 말하기 능력 수행 평가

홈페이지 http://www.kofses.or.kr

예시문제

초등학교 1차 창의력대회 1번 문항 예시

1 다음은 양초가 타고 있는 모습을 찍은 사진이다.

(1) 위의 사진을 자세히 관찰하여 관찰한 현상 다섯 가지와 그러한 현상이 일어나는 까닭을 쓰시오.

[모범답안]

① 겉불꽃은 잘 보이지 않는다. 산소의 공급이 충분하여 완전 연소가 이루어지므로 온도가 가장 높아 불꽃의 색깔이 푸른색이기 때문이다.

② 불꽃심은 가장 어둡다. 액체 상태의 초가 불꽃으로 가열되어 기체로 되는 부분으로 온도가 가장 낮기 때문이다.

③ 속불꽃은 가장 밝게 빛난다. 완전히 타지 못한 탄소 알갱이가 타면서 빛을 내기 때문이다.

④ 불꽃 모양은 위로 뾰쭉한 모양이다. 대류 현상에 의해 뜨거운 공기가 위로 올라가기 때문이다.

⑤ 심지 바로 아래에는 액체 상태의 초가 있다. 뜨거운 열에 의해 고체 상태의 초가 녹았기 때문이다.

(2) 다음 사진과 같이 양초의 불꽃을 둥그런 종 모양으로 만들 수 있는 과학적인 방법 두 가지와 그것이 가능한 이유를 쓰시오.

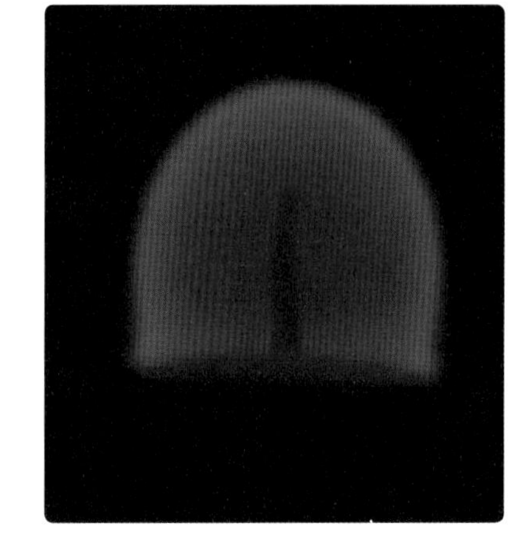

[모범답안]

① 우주 정거장 안에서 촛불을 켠다. 우주 정거장은 무중력 상태이므로 대류 현상이 일어나지 않아서 불꽃이 사방으로 퍼져 나간다.

② 비행기를 타고 45 ° 로 상승하다가 엔진을 끈 후 비행기가 하강할 때 촛불을 켠다. 지구상에서 비행기를 이용해서 45 ° 로 상승하다가 엔진을 끄면 떨어지면서 약 25초간 무중력 상태가 만들어지기 때문이다.

07 영재교육 창의적 산출물대회

목적

★ 창의적 문제해결능력, 성취감 및 창의성 계발 동기 부여

★ 영재교육 지도방법에 대한 이해 및 교수·학습방법 개선

★ 연구과제 수행을 통한 영역별 잠재능력 계발

주최·주관 : 서울특별시교육청, 서울특별시과학전시관

대상 및 자격

서울시교육청 지정 영재교육기관에서 영재교육을 받고 있는 학생 중 운영기관 자체 선발대회를 거쳐 선정된 학생과 지도교사

일정

일정	추진 사항	비고
7월	운영계획 수립 및 대회 안내 공문 발송	영재교육기관 전체
9~10월	• 영재교육기관 자체 선발대회 통한 초 · 중등 우수 팀(학생) 선발 • 세부추진계획 수립 · 운영	영재교육기관별
11월	• 대회 참가 지도교사 지도사례보고서 수합 • 학생 창의적 산출물 보고서 및 포트폴리오 수합 • 영재교육 창의적 산출물대회 개최	
12월	대회 평가 및 결과보고서 발간	

운영방법

★ 팀 구성 : 지도교사 1인과 학생 4인 이내로 구성

★ 탐구 주제 : 각 팀에서 자유롭게 선정(기존 발표작과 중복되지 않는 주제, 창의적 사고력을 신장할 수 있는 주제, 연구과제 수행을 통해 결론을 도출할 수 있는 주제)

★ 발표 시간 : 학생은 10분간 공동 발표, 5분간 질의응답(지도교사, 학생)

★ 제출물

– 포트폴리오, 학생 성찰일지, 지도교사 지도사례보고서

– 출력물 및 CD(내용물을 저장하여 같이 제출)

심사 규정

배점

구분	배점
지도교사 지도사례보고서 및 지도교사 구두 발표	30
학생 산출물 포트폴리오	30
창의적 산출물 보고서 및 학생 구두 발표	40
계	100

평가 기준

<table>
<tr><th>심사항목</th><th colspan="3">평가기준</th><th colspan="2">배점</th></tr>
<tr><td rowspan="4">지도교사
지도사례
보고서 및
구두 발표</td><td rowspan="3">보고서</td><td>창의성</td><td>학생들의 창의적 사고력을 신장시키는 지도활동을 사용하였는가?</td><td>5</td><td rowspan="4">30</td></tr>
<tr><td>개별화
수업전략</td><td>학생 개인의 요구와 특성을 고려하여 지도하였는가?</td><td>5</td></tr>
<tr><td>지도교사의
전문성</td><td>학생지도전략 사용 타당성 및 이론적 근거에 대해 지도교사가 인식하고 있는가?</td><td>10</td></tr>
<tr><td>발표</td><td>의사소통
능력</td><td>• 탐구지도과정을 상세하고 명확하게 표현하는가?
• 발표시간을 지켜 발표하는가?</td><td>10</td></tr>
<tr><td rowspan="4">학생 산출물
포트폴리오</td><td colspan="2">구성</td><td>• 다양하고 수준 있는 유의미하고 타당한 자료를 활용하였는가?
• 자료들이 체계적으로 구성되었는가?</td><td>8</td><td rowspan="4">30</td></tr>
<tr><td colspan="2">과제수행</td><td>• 문제 인식 및 주제 선정 : 의미가 있으면서 해결 가능한 주제를 선정하였는가?
• 과제 설계 및 수행 : 실행 가능한 탐구(문제해결)과정을 체계적으로 설계하고, 탐구(문제해결) 활동을 수행하였는가?
• 자료 분석 및 해석 : 탐구결과를 논리적으로 타당하게 해석하였는가?
• 결론 도출 및 평가 : 결론 도출 과정이 합리적이고 논리적인가?</td><td>10</td></tr>
<tr><td colspan="2">협동성</td><td>• 활동의 전 과정에서 팀원들 간의 협력과 노력의 흔적이 나타나는가?
• 모든 구성원들이 과제 수행에 도움을 주었으며, 서로를 존중하였는가?</td><td>7</td></tr>
<tr><td colspan="2">반성과정</td><td>• 자신들의 강점과 약점을 보고하는가?
• 팀원들과 함께 활동에 대한 반성의 기회를 가지는가?</td><td>5</td></tr>
<tr><td rowspan="4">창의적
산출물
보고서
및
구두 발표</td><td rowspan="3">보고서</td><td>독창성</td><td>• 또래 학생들이 제시한 산출물에서 새롭고 독특한 아이디어를 제시하는가?
• 교과별로 가치 있는 산출물인가?
• 앞으로 새로운 산출물을 만들어 낼 수 있는 새로운 아이디어를 많이 시사해주고 있는가?</td><td>5</td><td rowspan="4">30</td></tr>
<tr><td>논리성</td><td>• 탐구과정이 논리적으로 타당한가?
• 탐구과정이 유기적으로 관련되어 전체적으로 일관된 느낌을 주는가?</td><td>5</td></tr>
<tr><td>표현력</td><td>• 의도하는 요구와 관심에 대하여 연구목적이 달성되었는가?
• 탐구목적, 방법, 결과 및 해석이 분명하고 충분히 설명되어 이해하기 쉬운가?</td><td>10</td></tr>
<tr><td>발표</td><td>의사소통
능력</td><td>• 연구결과와 결론을 설득력 있게, 독창적으로 제시하였는가?
• 자신들의 개념이해 수준을 적절한 용어를 활용하여 표현하고 있는가?
• 발표시간을 지켜서 발표하는가?</td><td>10</td></tr>
</table>

안쌤이 추천하는
영재교육원 대비 5,6학년 로드맵

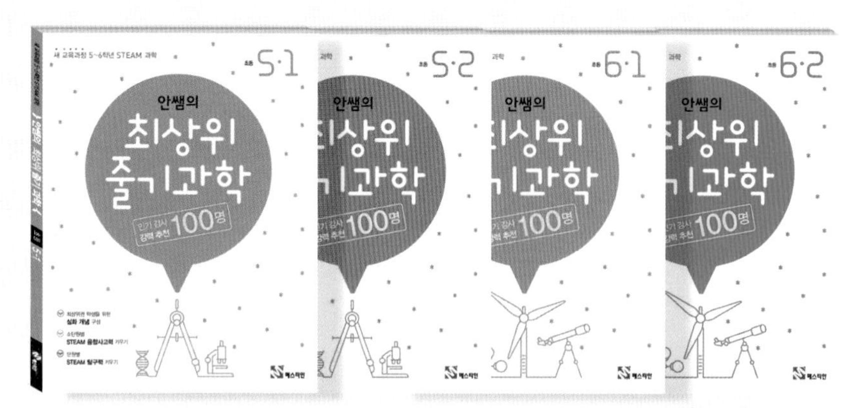

안쌤의 최상위 줄기과학 초등 시리즈 **학기별 8강, 총 32강**

안쌤의 창의적 문제해결력 시리즈 **수학 8강, 과학 8강**

안쌤의 창의적 문제해결력 실전 시리즈 **수학 50제, 과학 50제, 모의고사 4회**

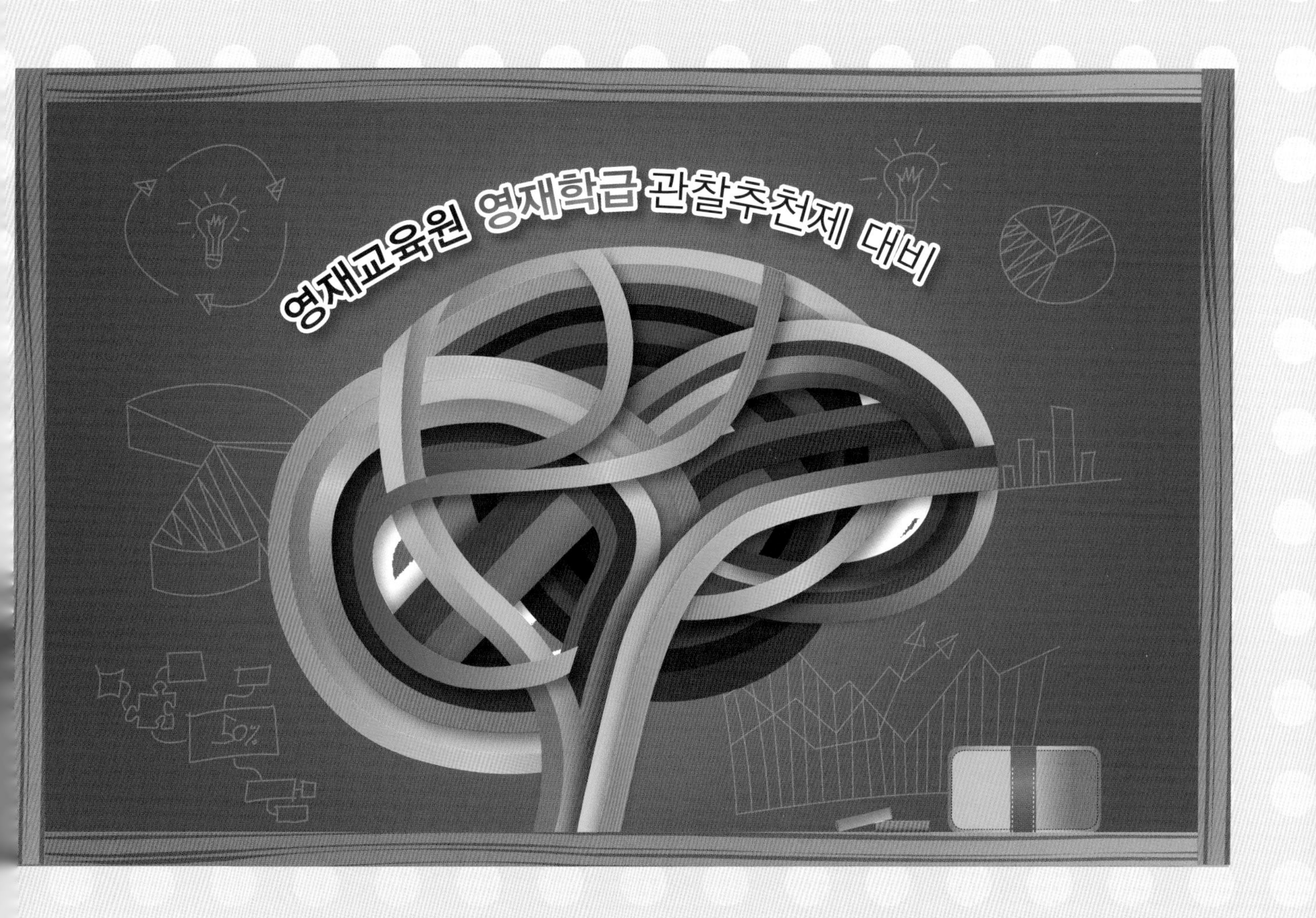

안쌤의 「창의적 문제 해결력」 수학과학 공통

모의고사

1 모의고사[4회]

- 최근 시행된 전국 관찰추천제 **기출 완벽 분석 및 반영**
- 서울권 창의적 문제해결력 **평가 대비**
- 영재성검사, 학문적성검사, **창의적 문제해결력 검사 대비**

2 평가 가이드 및 부록

- 영역별 점수에 따른 **학습 방향 제시와 차별화된 평가 가이드 수록**
- 창의적 문제해결력 평가와 면접 기출유형 및 예시답안이 포함된 **관찰추천제 사용설명서 수록**

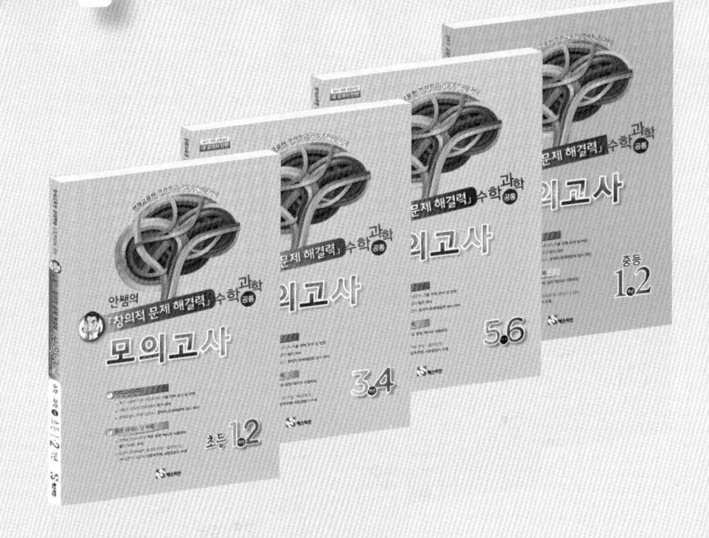

안쌤의 영재교육원 영재학급 관찰추천제 대비

창의적 문제해결력 과학

정답 및 해설

5·6 학년

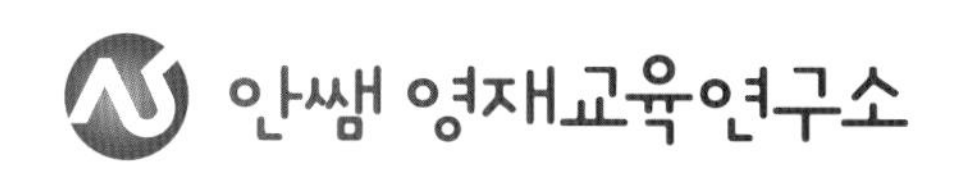

상위 1%가 되는 길로 안내하는 이정표로,
학생들이 꿈을 이루어갈 수 있도록 콘텐츠 개발과 강의 연구를 하고 있다.

저자 **안쌤 영재교육연구소**
안재범, 최은화, 유나영, 이상호, 추진희, 오아린, 허재이, 이민숙, 이나연, 김혜진, 김샛별

이 교재에 도움을 주신 선생님
고려욱, 김성희, 김정아, 김종욱, 마성재, 박진국, 백광열, 서윤정, 신석화,
어유선, 유영란, 이석영, 이은덕, 장수진, 전익찬, 전진홍, 정영숙, 정회은

안쌤의 창의적 문제해결력 과학

정답 및 해설

Steam

안쌤의 창의적 문제해결력 과학1

터치스크린의 원리

STEP 1 문제 인식

모범답안

1 현금자동인출기(ATM), 극장의 자동 발권기, 지하철의 무인 발권기, 내비게이션, 태블릿 PC, 공공장소에 설치된 키오스크(kiosk, 정보전달) 기기 등

해설 키오스크는 정부나 지방자치단체, 은행, 백화점, 전시장 등 공공장소에 설치된 무인 정보단말기이다. 교통정보, 경로 안내, 요금 카드 배포, 예약 업무, 각종 전화번호 및 주소 안내 정보 제공, 행정절차나 상품 정보, 시설물의 이용 방법 등을 터치스크린을 활용하여 알려준다.

키오스크 기기

모범답안

2 전류가 흐를 수 있는 전도성 섬유를 사용하여 만든 장갑으로 스마트폰 화면을 터치하면 손가락으로 터치한 것 같이 반응한다.

해설 전도성 섬유란 전기가 흐를 수 있도록 만든 섬유로, 전기 전도도가 있는 탄소, 니켈, 구리, 금, 은, 티타늄 등의 물질들을 전기가 흐르지 않거나 아주 조금 흐르는 물질(솜, 면화, 나일론, 폴리에스테르 등)에 첨가하거나 코팅을 하여 만든다. 전도성 섬유로 만든 스마트폰 장갑의 손가락 부분으로 스마트폰 화면을 터치하면, 사람의 손가락에서 스마트폰 화면으로 연결되는 전기회로가 형성되어 전기가 흐를 수 있으므로 손가락으로 터치한 것과 같이 반응한다.

STEP 2 문제 해결

모범답안

1
- 인식이 되는 물체 : 소시지, 쿠킹호일, 사과, 은박 과자 봉지, 물티슈, 물 묻힌 면봉, 젖은 화장지, 물 묻힌 면장갑
- 공통점 : 전기가 잘 통하는 물체이다.

해설 전기가 통하지 않는 부도체의 경우 물을 묻히면 전기가 잘 통하게 되어 터치스크린에 인식이 잘 된다.

모범답안

2
- 스마트폰에 닿는 면적의 지름이 0.5cm 이상이어야 한다. 이것보다 작으면 터치스크린에서 신호를 잘 받아들이지 못하기 때문이다.
- 전기가 잘 통하는 금속과 같은 도체로 손부터 스크린까지 연결해야 한다.
- 손으로 쥐기 편하게 만들어야 한다.

해설 정전식 터치스크린은 물체가 접촉했을 때 흐르는 전기를 감지하기 때문에 전기가 통하지 않는 물체가 손과 스크린 중간에 있으면 그 신호를 감지하지 못한다. 따라서 손부터 스크린까지 도체로 이어지도록 터치펜을 만들어야 한다.

예시답안

3 [1]
- 쿠킹호일 : 다른 물체를 잘 감쌀 수 있어서 응용하기 편리하다.
- 물 묻힌 면봉 : 크기가 적당하고, 물을 묻히면 부드러워서 쓰기가 편리하다.

[2]
- 면봉을 사용하는 터치펜
  ① 펜을 돌려 분리한 다음, 심을 빼고 다시 결합한다.
  ② 면봉의 한쪽 머리를 가위로 잘라낸 다음, 볼펜심의 자리에 면봉을 끼운다.
  ③ 쿠킹호일로 면봉의 머리를 남기고 전부 감싸준 다음, 테이프로 잘 붙여준다.
  ④ 면봉의 머리에 물을 묻혀서 터치스크린에 터치해 본다.

면봉을 이용한 터치펜

- 쿠킹호일을 이용한 터치펜
  ① 펜을 쿠킹호일로 모두 감싼다.
  ② 손으로 잡고 터치스크린에 터치해 본다.

쿠킹호일을 이용한 터치펜

면봉을 이용한 터치펜

쿠킹호일을 이용한 터치펜

해설 [1] 주어진 물체 중에서 가장 사용하기 편한 물체를 고른다.

예시답안

1
- 플라스틱 판을 사용하면 기존의 유리판 보다 가볍고, 휘어지기 때문에 깨지지 않는다.
- 디스플레이를 말아서 휴대할 수 있기 때문에 큰 화면의 디스플레이도 운반이 편하다.
- 기존의 평평한 디자인에서 다양하게 굴곡진 디자인을 표현할 수 있다.

해설 잡지, 교과서, 서적, 만화와 같은 출판물을 대체할 수 있는 전자책 분야와 디스플레이를 접거나 말아서 휴대할 수 있는 초소형 PC, 실시간 정보 확인이 가능한 스마트 카드 등 새로운 휴대용 IT 제품 분야가 플렉서블 디스플레이의 활용 분야가 될 수 있다.

예시답안

2
- 터치스크린에 점자를 표시한다.
- 터치를 하면 음성으로 어느 부분을 눌렀는지 말로 이야기해 준다.
- 터치스크린을 터치하면 누르는 위치에 따라 진동의 횟수나 세기를 다르게 해 어느 부분을 눌렀는지 알게 해준다.

해설 손의 촉감으로 각종 기기를 사용해야 하는 시각 장애인은 이런 터치스크린의 사용이 매우 불편하다. 진동이나 음성 안내 등으로 대신 하지만 그리 유용하지는 않다. 애플의 운영체제인 IOS에서는 새 버전 발표 때마다 다양한 추가 기능으로 이를 보완하려고 노력하고 있다.

예시답안

3

- 공중에서 손가락의 움직임을 인식할 수 있는 장치가 나올 것이다.
- 투명한 디스플레이가 나와서 버스 정류장에서 버스를 기다릴 때 버스가 오는 것을 확인하면서 정보를 확인할 수 있을 것이다.
- 두루마리처럼 말아서 휴대하고 필요할 때 펴서 사용할 수 있는 디스플레이 장치가 나올 것이다.

해설 기존 터치스크린의 단점이 보완된 미래의 터치스크린으로 예상할 수 있는 것은 투명한 터치스크린, 볼펜에 말아 넣고 필요할 때 펴서 볼 수 있는 디스플레이, 정전식이 아닌 손가락의 움직임을 감지할 수 있는 장치 등이 있다.

미래의 터치스크린

미세먼지의 습격

STEP 1 문제 인식

모범답안

1
- 국내 미세먼지 : 제조업 공장에서 연료를 연소시킬 때 발생한다.(56% 이상) 자동차나 철도, 선박, 항공기에서 발생한다.(30%) 강원도 시멘트 공장에서 발생한다.
- 중국발 미세먼지 : 중국이 고속성장 과정에서 석탄 등 화석 연료에서 배출되는 오염물질을 제대로 정제하지 않아서 미세먼지가 가득한 스모그가 자주 생기고, 겨울에는 스모그에 섞여, 봄에는 황사에 섞여 편서풍을 타고 우리나라에 전달된다. 중국발 미세먼지에는 카드뮴, 황화합물, 질산화합물 등 다양한 오염물질을 포함하고 있어서 인체에 위험하다.

해설 미세먼지 하면 중국발을 먼저 떠올리지만, 국내 미세먼지 가운데 중국발은 30~50 % 정도이며 대부분 국내에서 발생하고 있다. 국내 미세먼지 배출량은 지난 2007년 이후 해마다 7%씩 증가하고 있다. 미세먼지를 줄이기 위해서는 기상 조건에 따라 자동차 운행을 제한하는 등 국내 오염원도 관리해야 한다. 중국발 미세먼지가 우리나라에서 배출된 오염물질과 함께 혼합 축적되면 미세먼지의 농도가 높아진다.

모범답안

2
- 겨울철과 봄철의 미세먼지 농도가 높다.
- 겨울철에 난방을 위해 화석 연료를 많이 태우기 때문이다.
- 봄철에 중국에서 강한 스모그가 자주 발생하고 황사가 심해지기 때문이다.
- 봄철에 따뜻한 이동성 고기압이 우리나라로 오면서 중국발 미세먼지를 실어오기 때문이다.

해설 겨울이 상대적으로 따뜻하고 포근하면 미세먼지의 농도가 증가한다. 겨울에 시베리아에서 한반도로 곧장 내려오는 고기압은 한파를 몰고 오지만 먼지를 쓸어내는 역할을 한다. 하지만 중국에서 서해를 지나 다가오는 이동성 고기압은 상대적으로 따뜻하지만 중국발 미세먼지를 실어온다. 따라서 이동성 고기압 영향을 받은 날은 대기가 안정되고 바람이 약해서 오염물질들이 확산되지 못하고 축적되므로 미세먼지의 농도가 높아진다.

STEP 2 문제 해결

모범답안

1
- 일반 마스크는 면으로 되어 있지만, 황사 마스크는 면과 부직포로 이루어져 있다.
- 황사 마스크에는 위쪽에 얇은 철막대가 있어 코에 맞게 마스크 모양을 만들어 주어 외부 공기가 마스크 내로 직접 들어오지 못하도록 한다.
- 황사 마스크에는 촘촘한 필터가 들어 있어서 먼지를 효과적으로 걸러준다.

해설 황사 마스크와 일반 마스크는 겉보기엔 비슷해 보이지만 미세먼지를 걸러내는 성능에는 큰 차이를 보인다. 황사마스크에는 정전필터가 있어, 먼지와 필터의 마찰로 생긴 정전기로 인해 미세먼지와 초미세먼지를 효과적으로 차단한다. 보건용 일반 마스크는 거의 황사를 차단하지 못하고 있으나 의약외품으로서 황사용 마스크라고 표기되어 있는 것은 황사를 차단할 수 있다. 황사마스크는 구부려 모양을 변형시키거나 세탁하거나 재사용하지 않아야 한다.

모범답안

2 황사 마스크는 일반적으로 사용하는 마스크와 달리 코와 입 가장자리에 완전히 밀착되어 외부의 공기가 들어오지 못하고 여러 겹으로 구성되어 있고 필터가 촘촘하다. 이런 구조는 먼지를 효과적으로 걸러주지만 기체 교환이 빠르게 일어나지 않아 마스크 내에 이산화 탄소가 쌓여 이산화 탄소의 농도가 높아지는 단점이 생긴다. 외부와 기체 교환이 쉽게 일어나지 않으면 날숨에 의해 마스크 내의 이산화 탄소의 농도가 높아지게 되고 산소의 농도는 낮아지게 되므로 폐로 깨끗한 공기가 들어오고 나쁜 공기가 배출되는 것을 오히려 방해하여 호흡이 힘들어질 수 있다. 이로 인해 호흡기나 심장 질환자들이 호흡 곤란을 느낄 수 있고, 태아에게 산소를 전달하기 위해 체내 산소량이 높아야 하는 임산부에게 오히려 악영향을 줄 수 있다.

해설 미세먼지는 크기가 작아 사람의 허파꽈리인 폐포까지 깊숙하게 침투해 각종 호흡기 질환의 직접적인 원인이 되며 우리 몸의 면역 기능을 떨어뜨린다. 폐포로 침투한 미세먼지는 폐포에 흡착되어 염증을 일으키고 초미세먼지처럼 작은 입자는 폐포를 통과해 몸속 곳곳으로 이동하므로 더 심각한 문제를 일으킨다. 먼지 입자의 크기가 작을수록 잘 걸러지지 않으므로 호흡을 통해 몸속 깊숙이 침투하여 많은 문제를 일으킨다.

미세먼지의 습격

예시답안

3 [실험 방법]

① 페트병 아래 부분을 잘라내고 일반 마스크를 씌운 후 고무밴드로 고정한다.

② 페트병 옆부분에 산소 마스크를 끼울 구멍을 작게 뚫는다.

③ 페트병 윗부분에 이산화 탄소 센서를 연결하여 이산화 탄소 센서가 부착된 호흡 장치를 만든다.

④ 산소 마스크를 입에 씌우고 가만히 앉아 있을 때, 제자리에서 걸을 때, 제자리에서 뛸 때 마스크 내의 이산화 탄소 농도를 측정하여 변화를 알아본다.

⑤ 이산화 탄소 센서 호흡 장치의 일반 마스크를 떼어 내고 황사 마스크를 씌우고 고무밴드로 고정한다.

⑥ 산소 마스크를 입에 씌우고 가만히 앉아 있을 때, 제자리에서 걸을 때, 제자리에서 뛸 때 마스크 내의 이산화 탄소 농도를 측정하여 변화를 알아본다.

[예상되는 결과]

황사 마스크를 착용하고 제자리에서 걷거나 뛸 경우, 짧은 시간 안에 마스크 내의 이산화 탄소의 농도가 급격하게 높아져 호흡에 문제가 생길 가능성이 높아질 것이다.

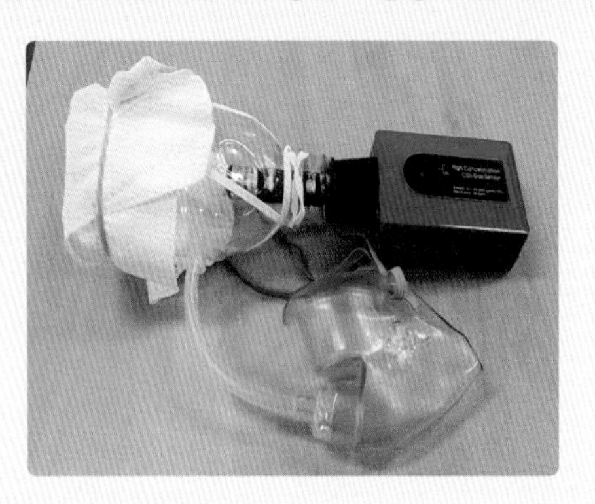

STEP 3 융합 사고

예시답안

1

• 촘촘하게 이루어진 필터에 이산화 탄소를 제거할 수 있는 장치가 추가된다면, 황사와 미세먼지를 잘 걸러주면서도 호흡에 방해를 주지 않는 편안한 마스크가 될 것이다.

• 석회수가 이산화 탄소를 제거하는 데 큰 효과가 있으므로 석회수를 이용한다. 석회수는 액체 상태이므로 마스크와 결합하기 힘들고 염기성이라 피부에 위험하므로, 아웃도어 의류에 사용되는 고어텍스 섬유를 이용한다. 고어텍스 섬유는 액체는 통과하지 못하고 기체만 통과하

는 특수 섬유이다. 고어텍스 섬유로 주머니를 만들고 그 안에 석회수를 넣어 마스크에 부착한다면, 액체인 석회수는 외부로 흘러나오지 않게 하면서 기체인 이산화 탄소만 통과시키므로 마스크 속의 이산화 탄소를 효율적으로 제거할 수 있을 것이다.

- 석회수 외에 이산화 탄소를 흡수하거나 이산화 탄소와 반응하여 고체처럼 부피가 작아지는 물질을 개발하여 마스크 내부에 부착한다.
- 마스크에 배기구를 만들어 마스크 안의 공기를 외부로 배출하게 한다.

예시답안

2 강한 정전기를 이용한 필터를 추가하여 황사와 미세먼지를 흡착하여 제거한다.

예시답안

3

- 현재의 선진국들은 과거에 환경을 이미 상당 부분 파괴했으므로 환경 오염에 대한 책임이 있다. 또한 현재 개발도상국의 공업은 선진국들이 기피하는 섬유, 염색 등의 공업으로 작업 과정에서 많은 양의 오염물질이 배출될 수밖에 없다. 과거에 자원과 모든 이익을 다 가져가고 환경을 오염시켜 놓은 선진국들이 이제와서 개발도상국들을 비난하고 성장을 막으며, 여러 가지 환경 규제를 만들어서 그 책임을 개발도상국에게 전가하는 것은 옳지 않다. 선진국은 환경와 경제성장을 병행할 수 있는 기술, 환경 청정 기술, 대체물질 개발 기술을 개발도상국에게 전수해야 한다.
- 경제 발전 초기에는 인구 증가, 대규모 인프라 투자 등으로 인해 삼림이 파괴되고 환경 오염도 심해진다. 그러나 이후 중진국 수준에 진입하게 되면, 그동안 일궈냈던 경제성장의 효과가 나오면서 오수처리 시스템이 증가하거나 대기오염을 막기 위한 공장 건설 규제 등이 늘어날 것이며, 많은 사람들이 환경에 대해 관심을 쏟고 또 정부를 때론 압박하기도 하면서 환경 오염 문제가 해소될 것이다.

해설 우리나라는 가난을 극복하고 눈부신 경제발전을 이룩하여 물질적으로 풍요로운 삶을 누리고 있는 몇 안되는 나라로 인정받고 있다. 그러나 이는 지난 30여 년 간 자연 환경의 훼손과 파괴 위에서 이룩된 것으로서, 민간 환경단체들은 국민들에게 환경 파괴의 시급성을 알리며 정부와 함께 환경 개선을 위해 노력해왔다. 이처럼 우리는 환경파괴의 경험과 이를 극복한 노력, 기술적인 노하우를 지니고 있다. 우리나라는 사막화가 심각히 진행된 중국 서부지역에서 사막화 방지 및 생태환경 개선을 위한 조림사업 및 황사 공동관측망 구축사업으로 황사에 대한 조기감시 등 적절한 대응책 수립을 지원하였다. 이처럼 국제 사회에서 드물게 한때 경제발전을 위하여 자연환경을 파괴했으나 이를 회복하거나 복원한 경험을 가진 국가들은 노하우를 개발도상국의 정책결정권자 및 일반 시민들에게 전수하고, 각국의 지속 가능한 경제개발에 친환경 정책의 장점을 알려주고 채택하도록 도와주는 방향을 정해야 한다.

오염된 비, 산성비

모범답안

1 pH가 5.6보다 낮은 비를 산성비라고 한다.

해설 산성비의 기준이 되는 pH는 모든 국가에서 일정하지 않다. 한국은 pH 5.6 미만인 경우에 산성비로 판단하지만, 일부 국가에서는 빗물이 일반적인 대기의 영향으로 산성화되는 것을 고려해 pH 5.0 이하인 비를 산성비로 정의하기도 한다. 대기 중에 이산화 탄소가 약 350 ppm(0.03%) 포함되어 있고, 이산화 탄소가 물에 녹아 탄산을 만들기 때문에, 자연 상태에서 내리는 비도 pH가 5.6인 약한 산성이다. 그러나 이 비를 산성비라고 하지는 않는다. pH 5.6 이하가 되는 빗물을 산성비라고 한다.

모범답안

2 석탄과 중유(석유의 한 종류)를 태울 때 나오는 황산화물과 자동차 배기가스인 질소산화물이 대기의 수증기와 만나면 황산과 질산이 된다. 이런 물질들이 비의 pH를 낮추므로, 산성비의 원인이 된다.

해설 황산화물과 질소산화물이 비와 섞여 내리는 것이 산성비이다.

모범답안

1
- 신맛이 난다.
- 금속을 녹인다.
- 석회석(탄산 칼슘)을 녹인다.
- 염기성과 만나면 중화되어 산성도가 약해진다.

오염된 비, 산성비

모범답안

2 [1] 인간에게 미치는 영향

- 호흡기 질병을 일으킨다. 우선 직접적으로 눈이나 피부를 자극하여 불쾌감이나 통증을 일으킨다.
- 식량 생산에 영향을 미친다. pH 5가 되면 쌀과 밀, 보리의 광합성이 저하되고, pH 4에서 수확량이 저해된다. 무, 당근, 겨자, 채소 등도 pH 4에서 수확이 감소되며, 그 이하가 되면 많은 농작물의 잎에 피해가 일어난다.
- 산성비가 금속을 녹이므로, 먹이 사슬을 통하여 알루미늄이나 중금속에 의한 장애를 일으킬 수 있다.
- 예술적 가치가 있는 역사유적의 부식을 일으킨다. 석회암과 대리석으로 된 동상들의 손상이 매우 심각하게 나타난다.
- 금속구조물의 부식률을 증가시킨다. 고가도로에서 시멘트가 녹아 콘크리트 고드름이 생긴다.
- 건물과 금속, 자동차, 고무, 가죽 제품 등에 경제적 손실을 일으킨다.

[2] 육상생태계에 미치는 영향

- 식물 잎의 반점과 광합성 저해, 꽃잎의 색이 탈색되는 등 직접적인 피해를 준다. 산성에 강한 이끼들의 성장을 촉진하고, 이 이끼들이 나무 뿌리에 사는 마이코리자 곰팡이를 죽이는 형태로 나무들이 흡수할 영양물질을 감소시킨다.
- 산성비가 토양에 스며들면 토양입자에 흡착되어 있는 칼슘, 마그네슘, 칼륨 등 무기 염류를 녹여서 토양의 비옥도를 낮추게 된다. 이런 토양에서 자란 식물은 생장이 저하된다.
- 산성 물질이 다른 대기오염 물질 예를 들어 오존과 결합할 경우, 나무들은 추위, 질병, 해충, 가뭄, 곰팡이 등의 스트레스에 더 민감해진다.

[3] 수중생태계에 미치는 영향

- 물에 녹아있는 무기성분 조성을 변화시켜 그 변화로 간접 영향을 줄 수 있다.
- 토양으로부터 녹아 나온 알루미늄이 호수에 유입되면 어류는 점액을 지나치게 분비하도록 자극을 받게 되고, 점액은 아가미를 막아 질식시킨다.(호흡장애)
- 식물 플랑크톤과 수생 식물에 영양분으로 공급되는 인산염과 결합하여 영양분으로서의 가치를 떨어뜨린다.
- 메틸 수은(CH_3Hg)의 독성 농도를 높여 물고기에게 피해를 입힌다. 호수가 지나치게 산성화되면 호수 바닥에 침전물의 형태로 존재하는 낮은 독성 상태의 무기수은을 독성이 높은 수은으로 전환한다. 이것은 동물지방에 잘 녹아 생물 농축을 일으킬 수 있다. 먹이연쇄와 먹이그물을 통해 전체 수중생태계에 영향을 미친다.

[4] 토양에 미치는 영향

- 토양은 보통 호수나 하천보다 산성화에 대한 저항력이 강하기 때문에 눈에 띄는 생태적 장애 없이도 많은 양의 산을 함유할 수 있다. 산성에 가장 약한 땅은 석회질을 거의 품고 있지 않은 화강암, 편마암, 석영이 많은 암석을 모암으로 하는 토양이다. 이러한 토양은

산성을 거의 중화하지 못해 매우 약해진다.

- 토양이 산성화되면 알루미늄의 독성이 증가하는데, 알루미늄은 식물에게 해를 끼치고 토양 중 카드뮴, 아연, 납, 철, 망간 등의 금속을 잘 녹게 한다. 이들 중금속들은 수중생태계에 잘 퍼져 들어가 먹이사슬을 통해 생물 농축을 일으킨다.

예시답안

3 **[실험 방법]**

1. 산성비가 식물에 미치는 영향
   ① 같은 종류의 식물이 심어진 화분 4개를 준비한다.
   ② 한 화분에는 물을 다른 화분에는 식초를 희석한 5% 산성의 물, 10% 산성의 물, 15% 산성의 물을 준다.
   ③ 꾸준히 물과 산성의 물을 주면서 식물의 변화를 관찰한다.

2. 산성비가 씨앗의 발아에 미치는 영향
   ① 접시 4개에 각각 솜을 깔고 강낭콩씨를 5개씩 놓는다.
   ② 한 접시에는 물을 다른 접시에는 식초를 희석한 5% 산성의 물, 10% 산성의 물, 15% 산성의 물을 준다.
   ③ 꾸준히 물과 산성의 물을 주면서 씨앗이 싹트는 정도를 관찰한다.

3. 산성비가 금속 구조물에 미치는 영향
   ① 철이나 마그네슘 판을 이용하여 정교한 무늬가 새겨진 조각을 4개 만든다.
   ② 하나는 물속에 다른 하나는 식초를 희석한 5% 산성의 물, 10% 산성의 물, 15% 산성의 물에 담가놓는다.
   ③ 시간에 따른 변화를 관찰한다.

4. 산성비가 대리석 구조물에 미치는 영향
   ① 대리석과 주성분이 같은 분필에 정교한 무늬가 새겨진 조각을 4개 만든다.
   ② 하나는 물속에 다른 하나는 식초를 희석한 5% 산성의 물, 10% 산성의 물, 15% 산성의 물에 담가놓는다.
   ③ 시간에 따른 변화를 관찰한다.

[예상되는 결과]

1. 산성비가 식물에 미치는 영향
   식물이 잘 자라지 못하고 잎에 반점이 생길 것이다.

2. 산성비가 씨앗의 발아에 미치는 영향
   강낭콩 씨앗이 발아되는 비율이 낮아질 것이다. 발아가 되어도 잘 자라지 못할 것이다.

3. 산성비가 금속 구조물에 미치는 영향
   금속 조각이 산성비에 녹아서 무늬가 희미해질 것이다.

4. 산성비가 대리석 구조물에 미치는 영향
   분필 조각이 산성비에 녹아서 무늬가 희미해질 것이다.

모범답안

1 중국 공업지대의 산화물질들이 바람을 타고 한반도와 일본 쪽으로 이동하는데 백령도가 중국 공업지대와 가깝기 때문이다

해설 특히 베이징과 상하이 지역에서 불어오는 바람이 우리나라에 많은 영향을 준다.

모범답안

2 겨울에는 비가 자주 내리지 않아 대기오염의 농도가 더 짙어져 산성도가 더 심해진다. 그 오염 물질이 눈과 함께 내리므로 산성눈은 다른 계절의 산성비보다 더 높은 오염도를 가지고 있다. 산성눈은 비보다 떨어지는 속도가 느려 공기 중에 오래 머물기 때문에 오염물질과 더 잘 달라붙는다.

해설 산성눈에 질산염과 황산염이 차지하는 비중는 약 30% 수준이다. 산성눈의 피해를 줄이기 위해서는 눈이 내릴 때 우산을 꼭 쓰고, 마스크를 착용한다. 집에 돌아오면 손을 깨끗이 씻고, 코 속까지 세척하는 것이 좋다. 눈이 오는 날과 눈이 그친 뒤 하루 정도는 실내 환기를 삼가는 것이 좋다. 산성비와 산성눈을 줄일 수 있는 방법으로는 산성비와 산성눈의 원인인 황산화물과 질소산화물의 배출을 최소화해야 한다. 자동차의 배기가스 속 질소산화물을 줄이기 위하여 자동차 촉매변환기의 효율을 높여야 하고, 황산화물을 줄이기 위하여 석유를 사용하지 않고 전기, 태양열을 이용한 저공해 자동차의 개발이 필요하다. 산업체에서는 탈황시설을 의무화해야 하고, 토양의 산성화가 진행된 지역에서는 탄산 칼

슈을 뿌려 토양을 중성화해야 한다. 산성비는 전세계적인 문제이므로 국제적인 규약을 통해 산성비를 유발하는 물질의 배출을 규제해야 한다.

예시답안

3

- 건물과 건물 사이의 하늘을 전자판으로 덮어 석조문화재를 보호하고, 전자판을 스크린으로 사용하여 각종 영상을 보여준다.
- 문화재에 초소수성발수제를 겉에 발라 오염 물질이 묻지 않고 흘러내리도록 한다.
- 주위 경관을 해치지 않는 규모로 지붕을 만들어서 산성비와 새똥을 막고, 정기적으로 청소를 해준다.
- 제대로 된 보존을 위해서 폐쇄하거나 내부로 이전하고 모사품을 전시한다. 등

해설 야외에 노출된 석조 문화재를 보호하기 위해 보호각을 씌우지만, 잘못된 보호 방법으로 인해 문화재 가치가 떨어지기도 한다. 보호각이 주변 환경과의 부조화로 이질감을 낳고 관람 환경을 악화시키기 때문이다. 국보 201호인 '봉화 북지리 마애여래좌상'은 보호각 설립으로 인해 이끼가 생겼고 내부 습도가 증가해 균열이 생기고 있으며, '종로 원각사지 10층석탑'에는 보호각으로 설립으로 인해 내부에 분진이 쌓이고 있다.

촛불집회 속 종이컵의 역할

STEP 1 문제 인식

모범답안

1

- 촛농이 손으로 떨어지지 않도록 막아준다.
- 바람을 막아 촛불이 꺼지는 것을 막아준다.
- 촛불에 의해 화상을 입지 않도록 해준다.

모범답안

2

- 촛불의 열기가 위로 올라가므로 옆은 종이컵을 태울 만큼 뜨겁지 않기 때문이다.
- 복사에 의한 열의 전달은 대류에 의한 열의 전달보다 약하기 때문이다.

해설 촛불에 의해 데워진 공기는 대류 현상에 의해 위로 올라간다. 종이컵은 주로 촛불의 복사열을 받는데, 복사열은 종이컵을 태울 수 있을 만큼 뜨겁지 않다.

모범답안

1 너무 높으면 촛불에 종이컵이 탈 수 있고, 너무 낮으면 바람을 막아주지 못해 잘 꺼질 수 있다.

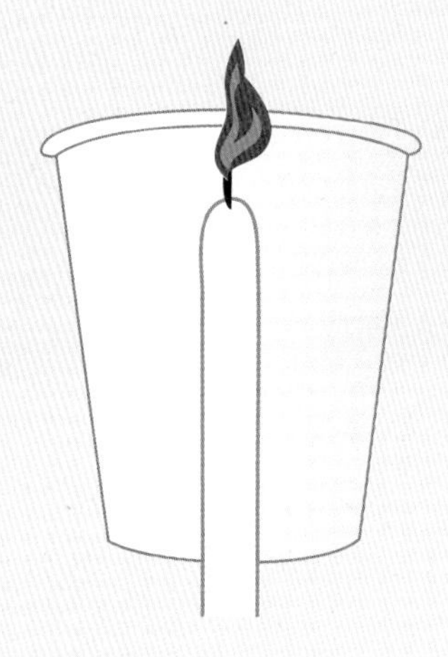

모범답안

2 심지가 아닌 초(파라핀)가 탈물질이라는 것을 알 수 있다. 초는 기체 상태에서 불이 붙는다.

해설 초에 처음 불을 붙이면 심지가 불쏘시게 역할을 해서 먼저 타고, 그 열에 의하여 고체 상태의 초가 액체로 변하고 액체가 다시 기체로 변하여 탈물질의 역할을 한다. 초를 이루는 고체 파라핀은 모세관 현상으로 인해 심지를 타고 계속해서 올라가며 이로 인해 탈물질이 끊임없이 공급된다. 심지는 탈물질을 공급해주며, 불꽃을 잡아주는 역할을 한다. 초의 심지에 불을 붙일 때 약간의 시간이 지난 후 불이 붙는 이유는 고체 상태인 파라핀이 기체 상태로 변할 때까지 시간이 걸리기 때문이다. 액체나 고체 상태의 파라핀은 표면의 산소량이 충분하지 않기 때문에 타지 않으므로, 주변의 산소와 잘 결합할 수 있는 기체 상태로 만들어 주어야 파라핀이 탈 수 있다.

예시답안

3 [실험 방법]

1. 약숟가락에 촛농을 올리고 알코올램프나 양초로 가열한다. 촛농의 변화를 관찰한다.
2. 타고 있는 촛불 위에 유리관을 놓고, 유리관 끝에 불을 붙여 본다.
3. 타고 있는 촛불에 주사기를 가까이 하여 양초 증기를 모으며 촛불의 크기를 관찰한다.
4. 타고 있는 초의 심지를 핀셋으로 잡으며 촛불의 크기를 관찰한다.
5. 초 몸통을 호일로 감싸고 촛불을 붙여본다.
6. 초 주위에 아주 작은 색이 있는 크레파스 조각을 올리고 촛불에 불을 붙인다. 크레파스 조각의 움직임을 관찰한다.

4. 타고 있는 초의 심지를 핀셋으로 잡으며 촛불의 크기를 관찰한다.
5. 초 몸통을 호일로 감싸고 촛불을 붙여본다.
6. 초 주위에 아주 작은 색이 있는 크레파스 조각을 올리고 촛불에 불을 붙인다. 크레파스 조각의 움직임을 관찰한다.

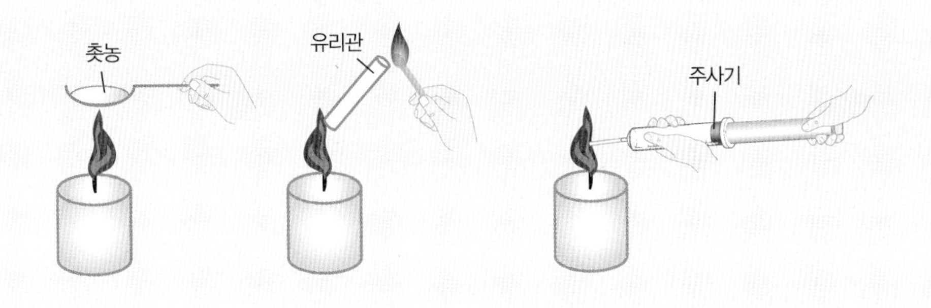

촛불집회 속 종이컵의 역할

[예상되는 결과]

1. 약숟가락에 촛농을 올리고 알코올램프로 가열하면 촛농이 녹아 액체가 된다. 더 가열하면 액체 촛농이 흰 연기인 기체로 변하고, 흰 연기에 불이 붙는다.
2. 유리관 안으로 기체 파라핀(흰 연기)이 들어오므로 유리관 끝에서 불을 붙이면 불이 붙는다.
3. 주사기로 양초 증기(기체 파라핀)을 모으면 탈물질이 줄어들어 촛불의 크기가 작아진다. 양초 증기를 촛불에 공급하면 촛불이 커진다.
4. 타고 있는 심지를 핀셋으로 잡으면 심지로 액체 초가 공급되지 않아 탈물질이 없으므로 촛불이 꺼진다.
5. 초를 호일로 감싸고 촛불을 붙이면, 초의 열이 호일로 전달되어 초 몸통을 녹이지 못하므로 탈물질이 없어 촛불이 꺼진다.
6. 크레파스 조각이 심지쪽으로 모인 후 심지를 타고 올라가서 탄다.

해설 [실험 방법] 1~3은 기체 상태의 초에서 불이 붙는 것을 확인하는 실험이고, 4~6는 심지가 아닌 초(파라핀)가 타는 것을 확인하는 실험이다.

[예상되는 결과] 2. 검은 연기에 불을 붙이면 불이 붙지 않지만, 흰 연기에 불을 붙이면 불이 붙는다.

예시답안

- 종이컵 안쪽을 알루미늄 포일로 감싸면 촛불을 더 환하게 할 수 있고, 바람이 불어 촛불이 종이컵에 닿아도 종이컵이 잘 타지 않는다.
- 종이컵 아래에 구멍을 뚫으면 대류로 인해 공기(산소)가 잘 공급되므로 초가 꺼지지 않고 잘 타게 한다.

모범답안

2 파라핀이 산소와 반응하여 물과 이산화 탄소가 되어 공기 중으로 날아가기 때문이다.

해설 연소는 물질이 산소와 결합하는 현상이다. 연소 후 물과 이산화 탄소처럼 기체가 생성될 때는 연소 생성물이 공기 중으로 날아가기 때문에 무게가 점점 감소한다. 그러나 강철솜처럼 연소 생성물이 기체가 아닐 경우에는 연소 후 질량이 증가한다.

예시답안

3 **[1] 종이컵의 장점과 단점**

• 장점
- 위생적이다.
- 사용 후 설거지를 할 필요가 없다.
- 다양한 용도로 사용이 가능하다.(촛불집회, 간이전화기 등)
- 가위로 자를 수 있어서 공작할 수 있다. 등

• 단점
- 환경을 오염시킨다.
- 한번 사용한 후 버리므로 자원이 낭비된다.
- 뜨거운 물을 가득 담으면 뜨거워서 잡기 힘들다.
- 오래 사용할 수 없다.
- 단단하지 않다. 등

[2] 종이컵의 단점을 보완할 수 있는 아이디어

• 뜨거운 액체를 넣으면 뜨거우므로 컵 홀더를 만든다.(기존 아이디어)
• 종이컵 안쪽과 바깥쪽에 물이 스며들지 않도록 하여 물로 씻으면 재사용이 가능하도록 한다.
• 사용한 종이컵을 재활용하여 재생 종이나 재생 휴지 등으로 만들 수 있도록 한다. 등

속 보이는 X선

모범답안

1 눈으로 볼 수 없는 몸속과 뼈의 상태를 볼 수 있기 때문이다.

모범답안

2 뼈는 X선을 반사하기 때문이다.

해설 X선은 공기, 지방, 물에서는 투과되지만 뼈와 이(칼슘)에서는 반사된다. 따라서 X선 검사에서 다른 조직에 비하여 하얗게 나타나는 것이 뼈이며, 뼈가 부러진 부분이나 살은 검게 보인다. X선 검사는 뼈의 이상뿐 아니라 공기의 함량이 높은 폐, 지방조직을 많이 포함한 유방, 그밖에 다른 연조직 부분이나 복부의 이상을 확인하기 위해서도 많이 사용된다.

STEP 2 문제 해결

모범답안

1
- 직진한다.
- 가시광선보다 투과력이 커서 살을 통과한다.
- 뼈, 두꺼운 콘크리트, 납판 등에서는 반사된다.

해설 독일의 뢴트겐이 진공방전관에 전류를 흘려보내자 음극선이 금속 벽에 빠른 속도로 충돌하면서 새로운 종류의 광선이 발생되었다. 뢴트겐은 알 수 없는 미지의 빛이라는 뜻에서 정체불명의 광선을 X선이라고 이름 붙였다.

모범답안

2

- 빛을 잘 통과시키는 물질 : 물, 유리, 공기 등
- 빛을 잘 반사시키는 물질 : 피부, 종이, 금속 등
- 특징 : 투명한 물체는 빛을 잘 통과시키고, 불투명한 물체는 빛을 반사시킨다.

해설 빛은 파장이 짧을수록 투과력과 직진성이 커진다. 가시광선보다 파장이 짧은 X선은 투과력이 커서 피부나 종이를 통과한다. X선보다 파장이 더 짧은 γ선은 투과력이 매우 강하여 우리 몸을 모두 투과한다. γ선은 투과력이 매우 커서 이를 막으려면 1m 이상의 콘크리트 벽이 필요하다.

모범답안

3

밤이 되면 유리 뒤쪽인 밖이 어두우므로, 나에게서 반사된 빛 중 유리를 통과한 빛은 어두워서 보이지 않고 유리에서 반사된 빛만 보이기 때문에 밤이 되면 유리가 거울처럼 보인다.

해설 밝은 곳에서 어두운 곳을 보면, 유리에 반사된 빛만 보이기 때문에 유리가 거울처럼 보여 유리 뒷편을 볼 수 없다. 반면 어두운 곳에서 밝은 곳을 보면, 밝은 곳에서 유리를 통과한 빛이 보이기 때문에 유리 뒷편이 잘 보인다. 유리 뒷면에 검은 종이를 두면 유리가 거울이 된다. 거울은 일반 유리에 금속을 얇게 발라 빛이 반사되도록 만든다.

예시답안

4

[실험 설계]

① 귀신의 집 안에 귀신을 설치하고 한쪽 면에 반사 유리를 붙인다.
② 귀신이 있는 집 내부는 어둡게 만들고, 사람이 지나가는 곳인 밖은 희미하게 불을 켜 둔다.
③ 사람이 반사 유리를 통해 귀신을 볼 수 있는 지점에 귀신의 집 안의 불을 켤 수 있는 스위치 센서를 설치한다.

[원리]

보통 때는 귀신이 있는 집 내부가 어두워서 밖의 빛이 반사 유리에 반사되므로 귀신이 보이지 않거나 반사 유리가 거울처럼 보인다. 사람이 지나가면서 스위치 센서를 작동시키면 귀신의 집 내부가 갑자기 밝아져서 귀신이 나타난다. 귀신의 집이 밝아지면 반사 유리를 통해 귀신의 집 안의 빛이 밖으로 투과되므로 사람이 귀신을 볼 수 있다.

속 보이는 X선

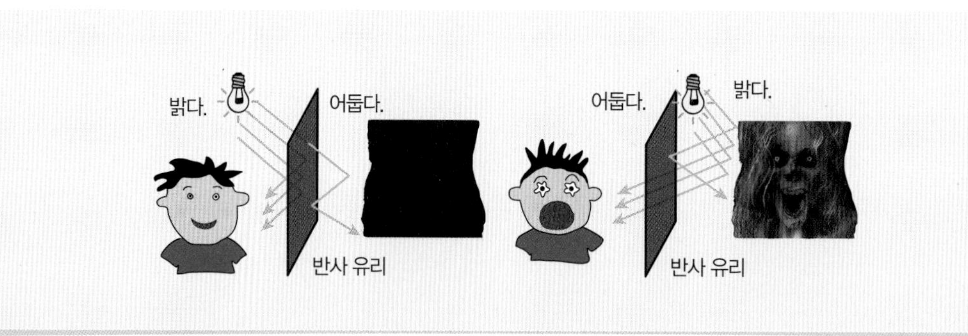

해설 반사 유리는 밝은 쪽에서는 빛이 반사되어 어두운 쪽을 볼 수 없지만, 어두운 쪽에서는 밝은 쪽의 빛이 투과되어 밝은 쪽을 볼 수 있다. 반사 유리 안과 밖의 밝기가 최소한 2배 이상이 되어야 하며, 밝기 비율이 커질수록 효과가 뛰어나다.

STEP 3 융합 사고

모범답안

1

- 정의 : 재귀반사란 광원에서 나온 빛이 다른 물체에 도달할 경우, 도달한 빛을 그대로 광원으로 되돌려 반사한다.
- 좋은 점 : 야간에 달리는 차량의 전조등에서 나온 빛이 재귀반사 제품에 닿으면 차량 운전자에게 밝게 보이므로 밤중에 물체를 쉽게 알아 볼 수 있다. 전기를 사용하지 않아도 된다.

해설 일부 국가에서는 야간교통사고를 줄이기 위해 재귀반사 제품의 착용을 의무화하고 있다. 재귀반사는 유리 구슬형과 마이크로프리즘형이 있다. 유리 구슬이나 마이크로프리즘을 원단이나 표면 위에 균일하게 도포하여 입사광을 광원의 방향으로 되돌린다. 성능을 향상시키기 위해 유리구슬 뒷면에 특수 코팅 처리를 한다.

모범답안

2

- 전투기를 향해 온 전파를 관제탑이 아닌 다른 방향으로 반사시키도록 만든다.
- 전투기 표면에 전파를 흡수시킬 수 있는 특수한 페인트(페라이트계 전파 흡수체)나 전파를 산란시킬 수 있는 페인트를 바른다.

- 단면적을 작게 설계함으로써 레이더에 포착되지 않도록 한다. 육안으로 확인하기 힘든 야간에 비행한다.

해설 왼쪽부터 F-117, F-22 랩터, F-35 라이트닝Ⅱ이다. 스텔스기는 특정 주파수 대역의 전파만 차단할 수 있으므로 다양한 형태의 전파를 사용해서 스텔스기를 탐지하려고 연구하고 있다.

예시답안

3

- 가시광선을 피하는 메타물질을 이용하면, 보이지 않은 투명망토를 만들 수 있다.
- 지금보다 훨씬 성능이 뛰어난 스텔스 전투기, 스텔스 전차, 스텔스 군함, 스텔스 잠수함 등을 만들 수 있다.
- 메타물질로 만든 렌즈는 초점을 잘 맞추므로 세포 안의 효소와 같이 아주 작은 물질까지 볼 수 있다.
- 반중력 메타물질을 이용하면 물 위를 걸을 수 있다.
- 소리나 주파수를 물체 주위로 피해가게 하는 메타물질을 이용하면 소음을 감출 수 있다.
- 저주파 소음을 흡수하는 메타물질을 이용하면 층간소음을 없앨 수 있다.

해설 메타물질(준물질)이란 자연에는 존재하지 않는 개발자가 인위적으로 만들어낸 물질을 통틀어 말하는 용어로, 일반적인 물리 법칙을 따르지 않는다. 신비한 능력을 가능하게 하는 메타물질은 일반인들에게는 다소 생소할 수 있지만, 예전부터 있었던 기술이다. 최근 메타물질이 주목받고 있는 이유는 빛의 음의 굴절 특성을 가진 메타물질이 개발되었기 때문이다. 이 메타물질은 자연에 존재하는 물질 속에 불순물을 넣어서 그 속을 통과하는 전자기파를 불특정하게 휘게 만드는 것이다. 2007년에 과학자들은 마이크로파 영역에서 작동하는 메타물질을 만들어내는 데 성공했고, 2011년에는 가시광선 일부 영역에서 작동하는 메타물질을 만들어내는 데 성공해, 물체가 사라지는 것을 눈으로 볼 수 있는 수준까지 발달했다. 이 기술의 핵심은 빛의 경로가 자유자재로 휘어지도록 메타물질 내부의 원자를 조작할 수 있어야 하는데, 이는 나노기술에 달려 있다. 메타물질은 인간이 상상하는 일을 현실로 만들어 줄 수 있지만, 누가 어떻게 사용하느냐에 따라 약이 될 수도 독이 될 수도 있다.

과학적 관점에서 본 세월호

모범답안

1 물체의 위에 작용하는 수압의 크기가 아래에 작용하는 수압의 크기보다 작기 때문에 그 차이만큼 물체를 위로 띄워주는 힘인 부력이 생긴다.

해설 물체가 물속에 잠기면 모든 방향에서 수압이 작용한다. 수압은 물의 깊이가 깊을수록 커진다. 물체의 좌우에서 작용하는 수압은 크기가 같고 반대 방향으로 작용하므로 상쇄되어 사라진다. 그러나 물체를 위에서 누르는 힘보다 아래에서 받치는 힘이 더 크므로 물체는 위로 뜨게 되는 힘인 부력을 받는다.

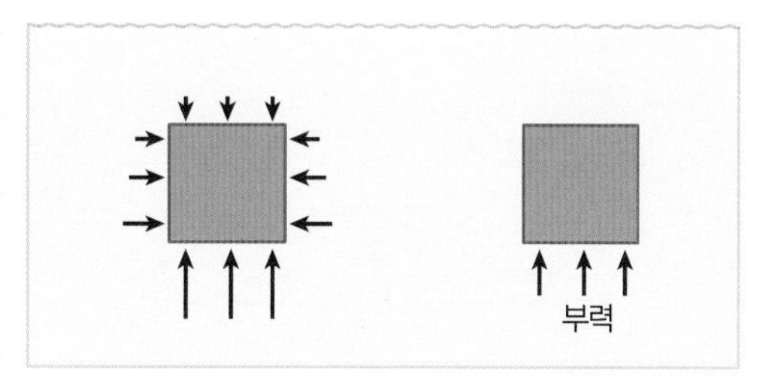

모범답안

2 배의 무게에 해당하는 부력을 받아야 물에 뜬다.

해설 배에 배의 무게에 해당하는 물의 양을 담을 수 있을 정도로 넓은 공간이 있어야 뜰 수 있다. 즉, 배의 무게에 해당하는 무게만큼의 물을 밀어올려야 뜰 수 있다. 이를 이용하여 배가 잠긴 부피를 알면 배의 무게를 알 수 있다.

모범답안

1 [1] 70g이 부력이다.
[2] 70g

해설 [1] 줄어든 무게가 부력의 크기이다.
[2] 줄어든 무게가 부력의 크기이다.

모범답안

2

- 물에 닿는 물체의 면적이 클수록 부력이 커질 것이다.
- 물체가 물에 잠긴 부피가 클수록 부력이 커질 것이다.
- 액체의 밀도가 클수록 부력이 커질 것이다.

해설 나무나 스타이로폼처럼 물에 뜨는 물체의 경우는 부력=무게(중력)이므로, 무게가 무거우면 부력이 커진다. 그러나 금속처럼 물에 가라앉는 물체의 경우는 무게>부력이므로, 물체가 물속에서 차지하는 부피가 클수록 부력이 커진다. 이 문제의 경우 배가 받는 부력을 크게 하는 것이므로 무게보다는 물에 잠긴 부피를 크게 해야 한다.

예시답안

3

[실험 방법]

- 가설 1 : 물에 닿는 물체의 면적이 클수록 부력이 커질 것이다.
  ① 알루미늄 포일을 가로 세로 20cm인 정사각형으로 자른다.
  ② 펼쳐진 알루미늄 포일을 물에 띄운다.
  ③ 알루미늄 포일을 반으로 접고 물에 띄운다.
  ④ 알루미늄 포일을 계속 반씩 접어가며 물에 띄운다.

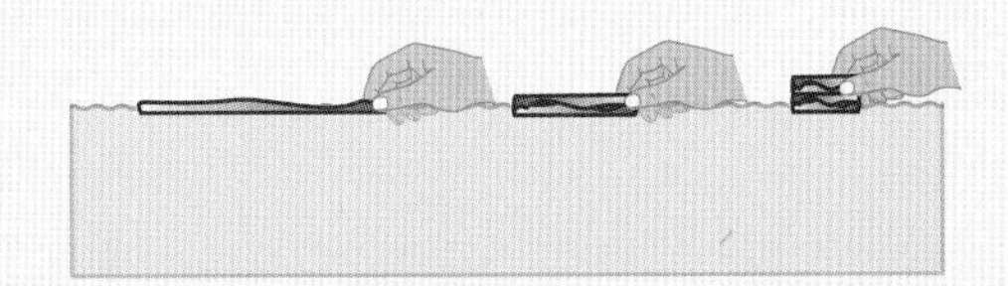

- 가설 2 : 물체가 물에 잠긴 부피가 클수록 부력이 커질 것이다.
  ① 페트병에 물을 가득 채우고 고무줄을 연결한다. 또는 용수철 저울에 연결한다.
  ② 공기 중에서 고무줄의 늘어난 길이를 측정한다. 또는 용수철 저울의 눈금을 확인한다.
  ③ 페트병이 물속에 $\frac{1}{5}$ 정도 잠기게 한 후 고무줄의 늘어난 길이를 측정한다. 또는 용수철 저울의 눈금을 확인한다.
  ④ 페트병이 물속에 $\frac{2}{5}$, $\frac{3}{5}$, $\frac{4}{5}$, 모두 잠기게 한 후 고무줄의 늘어난 길이를 측정한다. 또는 용수철 저울의 눈금을 확인한다.

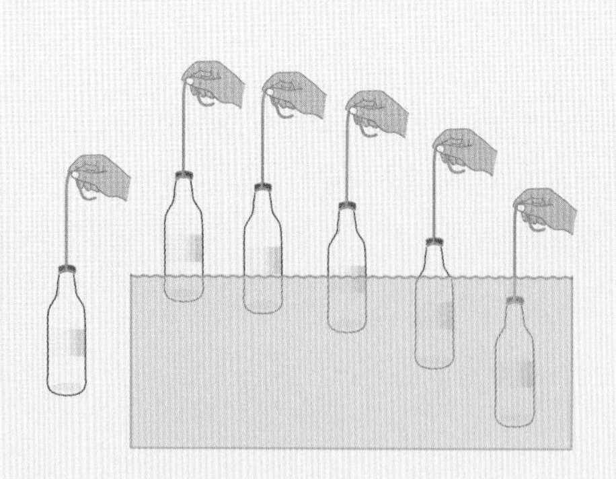

- 가설 3 : 액체의 밀도가 클수록 부력이 커질 것이다.
  ① 페트병에 물을 가득 채우고 고무줄을 연결한다. 또는 용수철 저울에 연결한다.
  ② 페트병이 물속에 $\frac{1}{5}$, $\frac{2}{5}$, $\frac{3}{5}$, $\frac{4}{5}$, 모두 잠기게 한 후 고무줄의 늘어난 길이를 측정한다. 또는 용수철 저울의 눈금을 확인한다.
  ③ 페트병을 소금물 속에 $\frac{1}{5}$, $\frac{2}{5}$, $\frac{3}{5}$, $\frac{4}{5}$, 모두 잠기게 한 후 고무줄의 늘어난 길이를 측정한다. 또는 용수철 저울의 눈금을 확인한다.

[예상되는 결과]

- 가설 1 : 같은 질량의 알루미늄 포일이지만 물과 닿는 면적이 좁아지면 부력이 약해져서 가라앉는다.
- 가설 2 : 페트병이 물속에 많이 잠길수록 고무줄의 늘어난 길이가 줄어든다. 즉 부력이 커진다.
- 가설 3 : 물속에서보다 소금물 속에서 고무줄의 늘어난 길이가 더 줄어든다. 즉 부력이 커진다.

모범답안

1 진공에서 물체의 무게를 측정하면 공기에 의한 부력이 작용하지 않으므로 공기 중에서 측정할 때보다 더 많이 나온다.

해설 공기의 밀도(0.001g/cm^3)가 매우 작기 때문에 공기 중에서 받는 부력은 물체의 무게에 비해서 매우 작다고 할 수 있다. 헬륨 풍선의 무게(중력)보다 헬륨 풍선만한 부피의 공기 무게(부력)가 더 크므로 헬륨 풍선은 위로 떠오른다. 밀폐된 곳에 헬륨 풍선을 넣고 압축공기를 불어 넣으면 부력이 더 커져 헬륨 풍선이 더 잘 떠오른다.

모범답안

2 평형수에 물고기 알, 동식물, 게 등과 물벼룩, 독성조류, 콜레라균 같은 유해생물 등 7천여 종의 해양 생물이 함께 담겨 이동한다. 이러한 외래 해양 생물이 토착 생태계의 먹이사슬의 균형을 깨뜨려 피해를 입힌다.

해설 배는 한 지역에서 다른 지역으로 화물이나 사람을 실어 나른다. 화물을 비우고 돌아올 때는 배의 무게가 가벼워져 물에 잠기는 깊이(흘수)가 얕아진다. 흘수가 얕아지면 배는 안정성이 없어져 작은 파도에도 쉽게 전복되므로 평형수를 많이 채워 배의 안정성을 높여야 한다. 화물적재량에 따라 평형수를 조절해야 하므로 평형수는 전 세계 바다를 이동하면서 많은 피해를 일으킨다. 우리나라 바닷가에서 쉽게 볼 수 있는 '지중해담치(지중해에서 온 외래종)'는 번식력이 워낙 좋아서 우리 고유 홍합의 서식을 방해한다. 따라서 토착 해양생태계를 오염시키지 않고 평형수 내 다양한 생물을 죽이는 기술개발이 대단히 중요하다. 이러한 문제를 해결하기 위해 IMO는 2004년 2월 '선박평형수 관리 협약'을 채택했다. 2009년 이후, 단계적으로 선박평형수 처리를 의무화해야 하며, 2017년 이전까지는 대양에서 선박평형수를 교환함으로써 해안 생물체 이동에 따른 피해를 최소화하기로 했다.

예시답안

3
- 선박의 안쪽 측면에 부력체를 부착한다. 배가 20° 이상 기울어지는 위급한 상황이 생길 경우, 배의 측면에 있는 부력체가 자동으로 부풀어서 부력을 발생시켜 배가 뒤집어지더라도 배가 침몰되지 않게 만들어 주어 인명을 구조할 시간이 충분해진다. 이 부력체의 원리는 자동차 에어백의 원리와 비슷하다.

- 선박이 한쪽으로 기울어지면 기울어진 쪽의 선박 난간이나 구조물에 급속으로 커다란 공기주머니(리프트백)를 달아 침몰이 되는 것을 막는다.
- 선박 출입문에 구조용 사다리 모양 밧줄을 매달아 놓는다. 선박 침몰 시 한쪽이 급경사져 출입문으로 접근하기 힘들 때 구조용 사다리 모양 밧줄을 사용하여 출입문 밖으로 나온다.
- 선박 복도와 선실에 가로 세로로 손잡이를 많이 설치한다. 병원의 장애인 손잡이처럼 만들어서 어느 각도에서라도 승객의 이동 및 탈출이 가능하도록 설계한다.

정답 및 해설

• 객실의 격벽을 위아래 완전히 밀폐되도록 만들어 한쪽 객실이 물이 들어와도 다른쪽 객실로 넘어오지 않도록 만든다. 현재 군함은 객실 격벽이 완전 밀폐되어 있어 한쪽이 파괴되어도 침몰되지 않지만, 여객선은 한쪽이 파괴되면 쉽게 침몰된다.
• 객실마다 리프트백을 설치하고 사고 시 리프트백을 부풀려 부력을 크게 한다.

중력의 소중함. 그레비티

모범답안

1 지구의 중력과 우주정거장의 원심력. 지구의 중력은 지구 중심 방향으로 작용하고, 우주정거장의 원심력은 지구 중심의 반대 방향으로 작용해 두 힘의 알짜힘이 0이 되기 때문에 무중력 상태가 된다.

해설 지구를 중심으로 도는 우주정거장은 지구를 벗어나려는 힘이 나타나는데 이것을 원심력이라고 한다. 또한 무중력 상태란 중력이 없는 것이 아니라 중력을 느낄 수 없는 상태를 말한다. 알짜힘이 0이 되어서 중력을 느낄 수 없는 것이지 중력이 사라진 것은 아니다.

예시답안

2 우주쓰레기는 크기가 작아도 속도가 빨라 우주선에 부딪치면 우주선에 구멍이 뚫릴 수 있어서 위험하다.

해설 우주쓰레기는 지구 주위를 1초에 8km의 속도로 매우 빠르게 돌고 있다. 운동하는 물체의 운동에너지는 속도의 제곱에 비례하므로, 아무리 질량이 작더라도 속도가 빠르기 때문에 충돌 시 매우 큰 위협이 된다. 현재 정확한 수는 알 수 없지만 약 350만 개 이상의 우주쓰레기가 지구 궤도를 떠돌고 있는 것으로 추산되고 있다.

모범답안

1 무중력 상태인 우주선 안에서는 머리카락에 작용하는 힘이 없기 때문에 머리카락이 사방으로 퍼져 산발이 되어야 한다.

해설 지구에서는 중력에 의해 머리카락이 아래로 가라앉지만 무중력 상태에서는 머리카락이 둥둥 떠서 사방으로 퍼지게 된다. 영화 속 장면에서는 머리가 지구와 같이 가라앉아 있으므로 과학적으로 오류이다.

중력의 소중함. 그레비티

예시답안

2 진공 상태인 우주 공간에 노출되므로, 몸은 내부 압력에 의해 팽창하고 몸 안의 혈액은 기압이 낮아져 혈액 속에 녹아 있는 기체가 녹지 못하고 혈액 밖으로 빠져 나오기 때문에 끓어오른다.

해설 사람 몸이 지구 밖 우주에 그대로 노출된다면 어떻게 될까. 영화처럼 몸이 갑자기 부풀어 오르며 터지고 순식간에 피가 끓어 증발하거나, 곧바로 하얗게 얼어붙는 일은 일어나지는 않는다. 사람의 피부와 핏줄이 몸에 어느 정도 압력을 가해주기 때문에 피가 끓거나 몸이 팽창하기까지는 어느 정도 시간이 걸리고, 우주 공간의 온도가 아무리 낮아도 체온을 모두 빼앗기는 데는 시간이 필요하기 때문이다. 약 10초가 지나서야 피부가 부풀어 오르기 시작하고 15~20초 뒤 산소 부족으로 무의식 상태가 되며, 1~2분 후 생명을 잃게 될 가능성이 높다.

모범답안

3 **[1] 몸이 부풀어 오르는 신체 변화를 알아보는 실험 설계**

① 풍선을 조그맣게 불어 입구를 막는다.
② 진공 용기 안에 풍선을 넣고 뚜껑을 닫는다.
③ 펌프를 이용해 진공 용기 안의 공기를 빼내면서 풍선의 모습을 관찰한다.

진공 속 풍선

[2] 혈액이 끓어오르는 신체 변화를 신체 변화를 알아보는 실험 설계

① 투명 플라스틱 컵에 사이다를 담는다.
② 사이다가 담긴 컵을 진공 용기 안에 넣고 뚜껑을 닫는다.
③ 펌프를 이용해 진공 용기 안의 공기를 빼내면서 사이다의 모습을 관찰한다.

진공 속 사이다

해설 [1] 외부 공기가 없어지면 공기가 누르는 압력이 사라지기 때문에 풍선의 내부 공기의 압력에 의해 부풀어 오르게 된다.

[2] 사이다가 든 진공 용기의 압력이 낮아지면 기체의 용해도가 낮아지면서 사이다에 녹아 있는 이산화 탄소가 뽀글뽀글 올라온다. 우주복에 구멍이 뚫리면 우주복 안에 압력이 낮아지기 때문에 혈액에 녹아 있는 기체가 밖으로 빠져나오면서 끓어오른다.

STEP 3 융합 사고

모범답안

1 우리 몸은 땅 위에서 사는 데 알맞게 이루어져 있고, 항상 중력을 받으며 살기 때문에 지구 표면에서 받는 중력의 크기에 적응되어 있기 때문이다. 우주에 나가 지구와는 다른 중력의 크기를 받으면 신체에 여러 가지 변화가 생긴다.

해설 우주인의 얼굴이 붓는 이유는 우주 공간의 무중력 때문이다. 평소 중력에 익숙해져 있던 우리 몸이 무중력 상태에 있게 되면 하체의 체액이 상체로 몰려 얼굴이 붓는다. 이런 현상을 우주부종이라고 하는데, 보통 얼굴 부위에 따라 3~7mm 정도 붓고, 눈은 평소보다 약 5mm 정도 돌출된다. 이런 증상은 우주에서 체류하는 동안 상체의 잉여 수분이 소변으로 배출되면서 잦아들지만 부기가 빠지는 속도나 붓는 정도는 사람이나 인종에 따라 차이가 있다.

모범답안

2 물의 표면장력때문에 수건에서 나온 물이 손을 뒤덮는다.

해설 젖은 수건을 짜내게 되면 수건의 표면을 따라 나온 물이 손으로 이동하여 젤리처럼 달라붙게 된다. 쥐어짠 수건은 스스로 그 모양이 다시 되돌아오지 않는다. 지구에서는 물을 짜게 되면 중력에 의해 물이 아래로 떨어지면서 수건과 분리되지만, 우주에서는 중력이 없기 때문에 젖은 수건과 짜낸 물이 분리되지 못하고 물의 표면장력에 의해 손으로 옮겨가게 된다.

젖은 수건 짜기

모범답안

3 무중력 상태 속에서 우주복 입기. 무중력 상태 속에서 무거운 물체 들기, 무중력 상태 속에서 이동하기, 무중력 상태 속에서 음식 먹어보기, 무중력 상태에서 기계 다루어보기 등

해설 무중력 상태를 경험하는 방법은 무중력 비행기를 9000 m까지 고도를 올려 급상승하게 한 다음, 9000 m에 도달하기 전 비행기가 엔진을 끄고 추진력만으로 비행하게 되면 자유 낙하 상태가 돼 약 25초 동안 무중력이 생기게 된다. 25초의 짧은 시간이지만 우주복 입기, 무거운 물체 들기, 줄잡고 이동하기, 자유롭게 이동하기 등 무중력 적응 훈련을 실시할 수 있다.

모범답안

4

- 지표면에 있을 때는 중력 때문에 우리 몸의 관절이 지구 중심 방향으로 힘을 받지만, 무중력 상태에서는 이러한 힘을 받지 못해 관절 사이의 길이가 넓어져서 키가 커진다.
- 지구에서는 중력 때문에 혈액과 몸 속의 액체가 발쪽으로 많이 모이는데, 무중력 상태에서는 끌어당기는 힘이 없어 액체가 위쪽으로 많이 퍼진다. 따라서 심장이 더 쉽게 혈액을 펌프질 할 수 있고, 다리의 혈액이 심장으로 쉽게 돌아오고, 머리로 쉽게 혈액을 보낼 수 있다.
- 무중력 상태에서는 물체의 무게가 0이므로 무거운 것과 가벼운 것을 구분하기 어렵다. 따라서 공기의 밀도 차이에 의한 대류 현상이 없어진다.
- 대류 현상이 일어나지 않기 때문에 촛불의 모양이 뾰족하지 않고 동그란 모양을 이룬다.
- 식물의 뿌리는 지구 중심 방향으로 줄기는 지구의 중심과 멀어지는 방향으로 자라는데, 무중력 상태에서는 뿌리와 줄기가 사방으로 자라게 된다.

안쌤의 창의적 문제해결력 과학8

킥에 숨어 있는 과학

모범답안

1 조각 수가 줄어들수록 공의 모양이 완전한 구형에 가까워지고 이음새도 줄어들어서 공의 불규칙성이 줄어들기 때문이다.

해설 2010년 공인구였던 자블라니는 공이 심하게 흔들리는 단점이 있었으나 브라주카는 슛의 정확도가 월등히 높다. 골문 앞 20m 전방에서 초속 20m로 프리킥을 찼을 때 1.18초만에 골대에 도착했다. 이는 남아공 때의 자블라니(1.33초)보다 0.15초가 빨랐다. 반면 초속 30m 이상의 강한 슈팅을 때렸을 때는 자블라니보다 느리거나 비슷했다. 즉, 세게 차는 것보다 정확하게 맞힐수록 다른 공들보다 빨라진다.

모범답안

2 킥을 했을 때 축구공의 궤적은 공에 가해지는 공기저항의 크기에 의해 결정된다. 브라주카는 홈을 깊고 길게 만들어 표면을 다소 거칠게 함으로써 공기저항을 감소시켰다.

해설 공기저항이 적을수록 더 곧게 날아간다. 자블라니는 표면이 매끄러워 표면을 스친 공기가 넓게 퍼지면서 공기저항이 커지고, 바람과 같은 외부의 힘에도 취약해져 궤적 변화가 심했다. 브라주카의 이음매 부분(깊이 1.56mm)은 골프공의 딤플처럼 공의 안정성과 나아가는 거리를 높여 주는 역할을 한다.

STEP 2 문제 해결

모범답안

1 회전 시 공은 공기저항을 받는다. 공의 회전 방향과 공기가 흐르는 방향이 일치하면, 공기가 빠르게 흘러 압력이 낮아지고, 반대로 공이 회전하는 방향과 공기가 흐르는 방향이 일치하지 않으면 공기의 흐름과 부딪히면서 공기가 천천히 흘러 압력이 높아진다. 압력 차이가 생기면 압력이 높은 곳에서 낮은 곳으로 작용하는 힘이 생긴다.

해설 마그누스 효과(마그누스 힘)는 베르누이 법칙에 의해 발생한다. 동영상에서 공기(흰 연기)가 왼쪽에서 오른쪽으로 흐르고 공이 왼쪽으로 회전하면, 공 위쪽은 방향이 서로 일치하지 않아 공기가 천천히 흘러 압력이 높아지고 아래쪽은 방향이 서로 일치해 공기가 빨리 흘러 압력이 낮아진다. 압력 차이로 인해 공은 위쪽에서 아래쪽으로 작용하는 힘을 받게 된다.

모범답안

2 땅에 놓여 있는 공의 아랫부분에서 위로 굴리듯이 차서 날아가는 공의 위쪽보다 아래쪽의 압력을 작게 해주면 아래쪽으로 휘는 바나나킥이 된다.

문제처럼 공을 차는 것은 매우 힘들다.

모범답안

3 **[실험 방법]**

① 마분지에 계단 모양으로 그림을 2장 그린 후 자른다. 계단의 폭은 스타이로폼 지름의 0.7배, 높이는 0.5배로 계단을 그린다.
② 대꼬치를 끼워 계단을 완성한다.
③ 제일 아래 계단에 스타이로폼 공을 올린다.
④ 빨대로 스타이로폼 공 중간을 살짝 불어본다.
⑤ 빨대로 스타이로폼 공 윗부분을 살짝 불어본다.
⑥ 빨대로 스타이로폼 공 아랫부분을 살짝 불어본다.

[예상되는 결과]

빨대로 공 윗부분을 살짝 불면 공이 위로 올라갈 것이다.

[공이 위로 올라가는 이유]

공 위쪽을 불면 공 윗부분의 공기의 속도가 아랫부분보다 빠르므로 위쪽의 압력이 낮고 아래쪽의 압력이 높아진다. 이때 아래쪽에서 위쪽으로 밀어올리는 마그누스의 힘이 작용하여 공이 위로 이동한다.

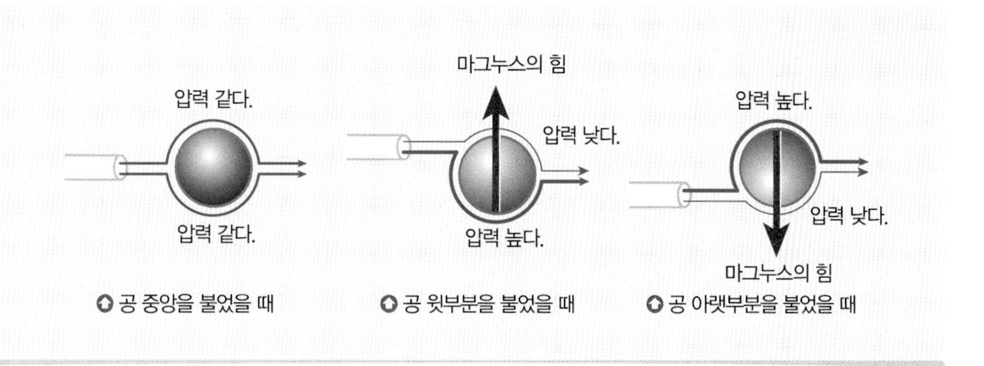

공 중앙을 불었을 때 / 공 윗부분을 불었을 때 / 공 아랫부분을 불었을 때

해설 공 중간 부분을 불면 공 위아래의 공기의 속도가 같기 때문에 마그누스의 힘이 발생하지 않는다. 공 아래쪽을 불면 아랫부분의 공기의 속도가 윗부분보다 빠르므로 마그누스의 힘이 아래로 작용한다.

STEP 3 융합 사고

모범답안

1 자동차가 고속주행을 하게 되면 위와 아래로 흐르는 공기의 흐름에 차이가 생기고, 위쪽의 압력이 아래쪽의 압력보다 낮아 위로 향하는 양력이 발생한다. 더군다나 차의 앞쪽에는 엔진과 부품이 있어 무게중심이 차의 앞쪽에 위치하므로 뒤쪽은 상대적으로 더 뜨게 된다. 스포일러는 자동차의 양력을 상쇄시켜 접지력(타이어와 바닥의 밀착력)을 향상시켜 주어 안정적인 운행을 할 수 있도록 도와준다.

해설 비행기는 양력을 발생시켜 이륙하지만, 자동차에 양력이 발생하면 마찰력이 감소해 주행 시 안정성이 떨어진다. 스포일러는 멋이 아니라 안전을 위해 필요하다.

모범답안

2 공이 빠르게 날아가면 공 뒤쪽에서는 공기의 속도가 급격이 떨어지고 방향이 바뀌어 압력이 떨어진다. 공 앞쪽은 높은 압력이지만 공 뒤쪽은 낮은 압력이 형성되므로 공을 뒤쪽으로 잡아당기는 저항력이 만들어진다. 그러나 딤플이 있으면 딤플 속에서 공기가 소용돌이치면서 공기 저항이 절반 이하로 낮아진다.

킥에 숨어 있는 과학

해설 딤플이 있는 공이 없는 공보다 두 배 이상 멀리 날아간다. 골프공은 원래 회양목으로 만든 나무공이었다. 그러나 회양목으로 만든 골프공은 골프채로 칠 때 멋진 소리를 냈지만 멀리 가지는 못했다. 그 후 쇠가죽을 바느질해 만든 껍데기 속에 삶은 깃털을 채우고 돌덩이처럼 말린 후 나무망치로 두들겨 둥그렇게 만들었다. 이렇게 만든 골프공은 나무공보다 멀리 날아갔다. 새로 산 매끄러운 공을 자꾸 치다보면 공이 닳고 표면이 거칠게 변했고, 이런 공들이 새 공보다 멀리 날아간다는 사실을 알게 되었다. 딤플의 수가 많다고 해서 멀리 날아가는 것은 아니다. 골프공에 적절한 딤플의 숫자는 350~450개로 알려져 있다.

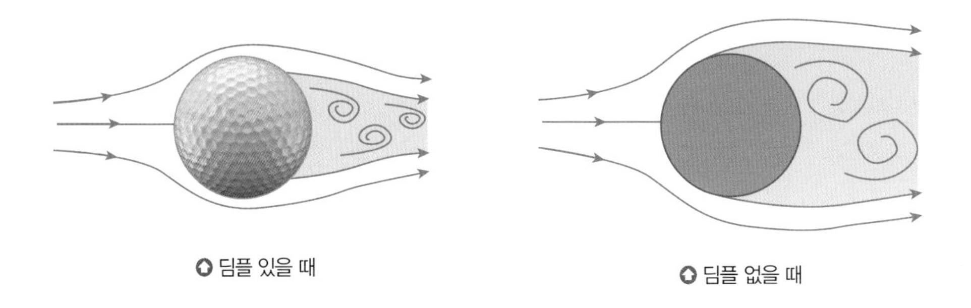

딤플 있을 때

딤플 없을 때

모범답안

3 [1]

- 큰 바윗돌이라 할지라도 달의 중력이 지구의 중력의 $\frac{1}{6}$ 정도이므로 발로 차면 움직인다.
- 달에서 축구를 한다면 공기 저항이 없어서 공의 속력이 엄청 빠를 것이다.
- 중력이 약해서 선수들이 재빠르게 움직이기 힘들 것이다.

[2] 달에는 공기가 없기 때문에 공의 위아래 또는 좌우에 압력 차이가 생기지 않아 마그누스 힘이 발생하지 않으므로 바나나킥이 불가능하다.

해설 [1] 우주 비행사들은 달에서 90kg의 바윗돌로 축구를 했다. 달에서는 중력이 약해 지면에 발이 잘 닿지 않기 때문에 돌을 발로 차면 반작용에 의해 우주 비행사들이 뒤로 밀려난다.

[2] 달에서 공기가 없기 때문에 공기 압력 차이나 공기 저항을 이용한 바나나킥이나 무회전킥 등이 지구와 같은 궤적으로 나타나지 않는다.

안쌤의 창의적 문제해결력 시리즈

초등 1~2 학년

초등 3~4 학년

초등 5~6 학년

중등 1~2 학년

안쌤의 창의적 문제해결력 시리즈

초등 1 · 2학년
안쌤의 창의적 문제해결력 수학 1 · 2학년
안쌤의 창의적 문제해결력 과학 1 · 2학년
안쌤의 창의적 문제해결력 파이널 50제 수학 1 · 2학년
안쌤의 창의적 문제해결력 파이널 50제 과학 1 · 2학년
안쌤의 창의적 문제해결력 모의고사 1 · 2학년 (수학 과학 공통)

초등 3 · 4학년
안쌤의 창의적 문제해결력 수학 3 · 4학년
안쌤의 창의적 문제해결력 과학 3 · 4학년
안쌤의 창의적 문제해결력 파이널 50제 수학 3 · 4학년
안쌤의 창의적 문제해결력 파이널 50제 과학 3 · 4학년
안쌤의 창의적 문제해결력 모의고사 3 · 4학년 (수학 과학 공통)

초등 5 · 6학년
안쌤의 창의적 문제해결력 수학 5 · 6학년
안쌤의 창의적 문제해결력 과학 5 · 6학년
안쌤의 창의적 문제해결력 파이널 50제 수학 5 · 6학년
안쌤의 창의적 문제해결력 파이널 50제 과학 5 · 6학년
안쌤의 창의적 문제해결력 모의고사 5 · 6학년 (수학 과학 공통)

중등 1 · 2학년
안쌤의 창의적 문제해결력 파이널 50제 수학 중등 1 · 2학년
안쌤의 창의적 문제해결력 파이널 50제 과학 중등 1 · 2학년
안쌤의 창의적 문제해결력 모의고사 중등 1 · 2학년 (수학 과학 공통)

매스티안

펴낸곳 타임교육C&P **펴낸이** 이길호 **지은이** 안쌤 영재교육연구소, 변희원
주소 서울특별시 강남구 봉은사로 442 **연락처** 1588-6066
디자인 ㈜링크커뮤니케이션즈
팩토카페 http://cafe.naver.com/factos
안쌤카페 http://cafe.naver.com/xmrahrrhrhghkr(안쌤 영재교육연구소)

자율안전확인신고필증번호: B361H200-4001
1. 주소: 06153 서울특별시 강남구 봉은사로 442
2. 문의전화: 1588-6066
3. 제조년월: 2020년 12월
4. 제조국: 대한민국
5. 사용연령: 8세 이상
※ KC마크는 이 제품이 공통안전기준에 적합하였음을 의미합니다.

주의

종이, 모서리에 다칠 수 있으니 주의하세요!

안쌤의

「창의적 문제 해결력」 수학과학 공통

모의고사

1 모의고사[4회]

- 최근 시행된 전국 관찰추천제 **기출 완벽 분석 및 반영**
- 서울권 창의적 문제해결력 **평가 대비**
- 영재성검사, 학문적성검사, **창의적 문제해결력 검사 대비**

2 평가 가이드 및 부록

- 영역별 점수에 따른 **학습 방향 제시와 차별화된 평가 가이드 수록**
- 창의적 문제해결력 평가와 면접 기출유형 및 예시답안이 포함된 **관찰추천제 사용설명서 수록**

안쌤의
줄기과학 시리즈

3-1 8강 3-2 8강 4-1 8강 4-2 8강

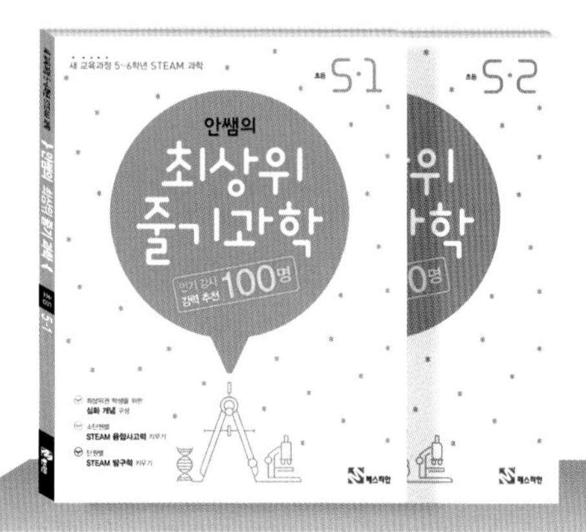

새 교육과정
5~6학년
학기별
STEAM 과학

5-1 8강 5-2 8강 6-1 8강 6-2 8강

새 교육과정
중등 영역별
STEAM 과학

물리학 24강 화학 16강 생명과학 16강 지구과학 16강 물리학 워크북 화학 워크북